Maryse Peyskens

Une fille à L'ÉCOLE DES GARS

Dominique et compagnie

Grand roman Dominique et compagnie

Une fille à l'École des Gars

Maryse Peyskens

À Alexia, mon ange.

À Éliane, ma petite boule d'amour.

Et toi, Rose, pour ton courage et ta résilience…

Je vous aime.

Pis les enfants c'est pas vraiment vraiment méchant.
Ça peut mal faire, ou faire mal de temps en temps.
Ça peut cracher, ça peut mentir, ça peut voler.
Au fond, ça peut faire tout c'qu'on leur apprend.

Paul Piché

AVANT-PROPOS

Rémi, un garçon hyperactif, ainsi que ses amis, Guillaume, Patrick et Samuel (les jumeaux), Alexi (le dur à cuire), Justin (le timide), Augustin, Olivier, Juan, Thomas, Alexandro et les autres ont tous quelque chose en commun. Ils n'aiment pas vraiment l'école. Pourtant, l'an passé, pour rien au monde ils n'auraient accepté de rater une seule journée du calendrier scolaire. Normal, ils ont tous intégré l'*École des Gars* ! Une école tout à fait originale et amusante où le plaisir d'apprendre rime avec « réussir ». Dirigée par un directeur sensible aux intérêts et au potentiel de chacun, les jeunes y ont découvert leurs forces et leurs talents. Et tout ça, grâce à des enseignants passionnés et passionnants !

À l'*École des Gars,* tout est permis, ou presque. Des tournois de soccer aux activités de baignade, sans oublier l'expérience inoubliable d'un saut en parachute, les jeunes ont repris goût à l'apprentissage en traversant toute une gamme d'émotions contrastées. De l'angoisse à la confiance, du découragement à l'espoir, tous ont finalement surfé sur une vague de joie intense lors du Spectaculaire Spectacle de fin d'année.

Au fil de ces péripéties, des liens solides se sont tissés entre les jeunes. Et surtout, ils ont rencontré Foinfoin, un personnage aussi attachant que mystérieux qui rend toute cette fantaisie possible…

C'est maintenant au tour de Léonie, Gus et tous les nouveaux de découvrir cette école des plus innovatrices.

CHAPITRE 1

La redoutable réunion

Trois heures du matin. Léonie n'avait toujours pas réussi à fermer l'œil. Malgré le décompte des moutons, les exercices de respiration profonde et la lecture du livre *Les contes d'Alicia, la reine des glaces,* rien ne lui avait permis de trouver le sommeil. Les paroles apaisantes de Lucie, sa mère, n'avaient pas réussi à la rassurer non plus. Léonie n'avait jamais aimé le soir, ce moment de la journée où tout semble se métamorphoser. Depuis le décès de son frère adoré, Alexandre, dix mois plus tôt, l'angoisse de Léonie à la tombée de la nuit s'était sévèrement intensifiée. Le noir, les bruits étranges, la solitude, les pensées tristes… et que dire des cauchemars !

De nature anxieuse, Léonie avait souvent trouvé réconfort auprès d'Alexandre. Drôle et farfelu, il savait dompter les peurs de sa frangine à l'approche de la noirceur. Combien d'heures avait-il passées à lui inventer des histoires fantaisistes pour lui changer les idées ? Tant de jeux de rôles et d'improvisation avait-il mis en scène dans le seul but d'amuser sa « petite sœur chérie », comme il la surnommait si affectueusement.

Léonie était le centre de sa vie, la prunelle de ses yeux. Même Lucie considérait ce dévouement un peu exagéré. Mais Léonie ne s'en était jamais plainte, au contraire. Fière de l'amour que lui vouait son grand frère, ce sentiment intense avait éveillé chez elle une confiance en soi qui l'aidait à traverser les moments difficiles tels qu'une première journée au camp de jour, un examen de mathématiques, ou encore, une compétition de patin. Car Léonie avait commencé à patiner alors qu'elle n'était pas plus haute qu'une lame de patin à la verticale. Elle était renommée pour ses talents de patineuse artistique.

Malheureusement pour Léonie, son héros était disparu bien trop vite et beaucoup trop jeune. À la suite d'un terrible accident de mobylette à l'âge de 16 ans. Léonie venait alors de fêter ses 10 ans.

Malgré tous les efforts de Lucie pour amoindrir les conséquences de ce décès prématuré, la 4e année de Léonie s'était avérée CATASTROPHIQUE !

À la fin avril, madame Strauss, la directrice de l'*École Marie-Curie,* avait convoqué Léonie, Lucie, Bélinda (la psychoéducatrice) et Geneviève (l'enseignante) pour une rencontre décisive.

Léonie se doutait bien du but de cette réunion, d'où son interminable insomnie cette nuit-là.

« Ils étaleront tous mes défauts… Ils raconteront tous mes coups pendables… Ils ressortiront tous les comportements dérangeants que j'ai adoptés (comme ils disent !). Franchement, adopter, quel mot bizarre pour parler d'un comportement ! On adopte des enfants, pas un com-por-te-ment. »

Dans le noir, Léonie fit la grimace et enfonça sa tête dans l'oreiller.

« Ils vont parler de la fois où j'ai fait une jambette à madame Petrovsky, l'enseignante de musique, ou alors, du jour où j'ai enduit toutes les poignées de porte d'huile d'olive. Pire, la fois où j'ai enfoncé une pomme de terre pourrie dans le silencieux de la voiture de madame Strauss. Et les vers de terre déposés dans le pupitre de Gédéon, le *bollé* de la classe ! Ah oui, mes super graffitis sur le plancher ! (Léonie avait soigneusement suivi les conseils de son frère en cassant ses crayons de couleur pour en retirer des bouts de mines qu'elle avait ensuite placés sous ses pattes de chaise. Une fois fait, il ne restait qu'à déplacer subtilement le siège en appuyant solidement son fessier dessus pour voir apparaître de superbes gribouillis multicolores sur le sol.) Je les avais oubliés ceux-là ! Et si madame Strauss parlait à maman du coussin à pets posé sur la chaise de monsieur Crochu, l'enseignant d'univers social… »

En effet, la liste des mauvais coups était interminable.

Quelques jours après le décès d'Alexandre, Léonie avait mis la main sur un de ses cahiers. Sur la page couverture, il avait écrit: *Les 101 mauvais coups les plus rigolos.* Bien évidemment, Alexandre, le grand frère parfait, s'était contenté de les inventer. Contrairement à Léonie qui, elle, avait eu l'idée géniale d'en tester plusieurs. Quoi de mieux pour entretenir la mémoire d'Alexandre que de mettre en pratique ses idées farfelues...

À 7 h 00 tapant, Lucie Cousineau s'introduisit dans la chambre de Léonie. Grâce aux rayons de soleil printaniers, le rideau fuchsia projetait des reflets rosés sur les joues pâles de la jeune fille.

— Tu as les traits tirés, cocotte. Tu as mal dormi ?

— J'ai pas dormi du tout, grogna Léonie. Laisse-moi tranquille !

— Ma pauvre chouette, c'est à cause de la rencontre de ce matin que tu fais cette mine ?

— Non, je m'en fiche de cette rencontre.

Évidemment, Léonie mentait, et Lucie la connaissait assez pour le deviner. Elle caressa doucement sa longue chevelure cendrée et tenta de la rassurer :

— Ne t'en fais pas, ça ne devrait pas être si terrible que ça.

— Qu'est-ce que tu en sais de toute façon? répondit Léonie sur la défensive.

Lucie ne sut quoi répondre. Pour changer de sujet, elle glissa une phrase bien banale:

— Alors, ce sera des rôties ou des céréales ce matin?

— Rien du tout, je n'ai vraiment pas faim, rétorqua sa fille sèchement.

Après s'être habillées, Lucie et Léonie prirent place dans la voiture. Aucune des deux n'émit un seul mot durant le trajet qui semblait interminable.

La pièce était étroite. Il faisait terriblement chaud. Lucie et Léonie pouvaient même sentir la désagréable haleine de madame Strauss qui, après avoir fait les présentations d'usage, débita d'un ton ferme:

— Madame Cousineau, je suis désolée de vous informer de cela, mais nous sommes dans l'obligation de planifier un transfert d'établissement pour Léonie. Notre personnel professionnel, de soutien et enseignant, ici présent, a réellement tout tenté pour venir à bout de l'attitude rebelle de votre fille et de son désintérêt marqué pour les études. Sans parler de ses regrettables mauvais coups. Nous sommes forcés d'admettre qu'il nous est dorénavant impossible de lui offrir ce dont elle a réellement besoin, c'est-à-dire un encadrement rigoureux et une supervision constante en classe. Nos ressources sont limitées, vous savez…

Lucie se doutait que cette réunion ne serait guère une partie de plaisir. Léonie avait cumulé durant sa 4e année autant d'échecs en mathématiques et en français que de billets pour comportements inadéquats. Toutefois, Lucie s'attendait à ce qu'on donne une nouvelle chance à sa fille. Cette rencontre allait sûrement permettre de modifier les objectifs du plan d'intervention personnalisé, spécialement rédigé pour elle. À la limite, on allait peut-être l'informer de son intégration dans une classe de cheminement particulier. Mais jamais de son expulsion de l'école ! Lucie ne s'était nullement préparée à une telle nouvelle.

Abasourdie par cette brutale décision, la pauvre mère tenta d'exprimer son point de vue.

— Madame Strauss, avec tout le respect que je vous dois, ne croyez-vous pas que cette décision est prématurée ? Léonie est encore sous le choc du …

La directrice l'interrompit sèchement :

— Madame Cousineau, je comprends que votre famille a vécu une épreuve difficile, mais cela ne peut expliquer tous les mauvais coups et les piètres résultats de votre fille. De toute façon, notre décision est prise. Léonie sera plus heureuse dans une école, euh… différente de la nôtre. Voici une liste complète des établissements qui accueillent des enfants comme elle.

— Une école différente, que voulez-vous dire ?

Lucie ne laissa pas la directrice reprendre la parole. Emportée, elle continua :

— Et qu'est-ce que vous entendez par enfant comme Léonie ? Hein ?

La directrice soupira bruyamment. Bélinda et Geneviève détournèrent leur regard, incapables de soutenir celui de la mère abattue, qui les fixait à tour de rôle en quête d'encouragement. Mais les deux femmes, bien que gentilles et dévouées, demeuraient muettes.

— Et c'est tout ce que vous trouvez à dire, alors ? demanda Lucie.

— Nous… nous… sommes désolées, répondit enfin Bélinda.

Étrangement, Lucie perçut une profonde tristesse dans son regard ainsi que dans celui de Geneviève. Cela eut pour effet de l'apaiser. Lucie était sensible aux efforts déployés par ces jeunes femmes pour la réussite de sa fille. Toutes deux étaient conscientes que le caractère de Léonie n'était qu'une façade qui cachait, en fait, une grande souffrance.

— Viens, ma chérie, nous n'avons plus rien à faire ici ! dit alors Lucie Cousineau en se levant.

CHAPITRE 2

Dans la voiture, Léonie s'empressa de briser le lourd silence par des airs de musique pop. Les Black Eyes chantonnaient sa mélodie préférée: «*Don't cry young girl, everything's gonna be ok.*» Au bout de quelques minutes, Lucie diminua le volume de la radio pour proposer à sa fille un petit détour au Palais des glaces, la crèmerie du quartier. Léonie adorait les plaisirs sucrés-glacés qu'offrait monsieur Gibbon, le propriétaire du commerce.

Avant de sortir de l'auto, Léonie balbutia quelques excuses à sa mère qui, trop émue, fondit en larmes.

— Ma chérie, ne me demande pas pardon. Je sais que tu ne fais pas exprès. Ce serait même plutôt à moi de te présenter des excuses.

— Pourquoi ? C'est moi qui te donne tout ce tracas, murmura Léonie.

— Non, ne dis pas ça. Tu ne seras jamais un problème sur deux pattes pour moi. Je suis ta maman et je t'aime. Et je devrais être en mesure de t'aider davantage, mais je n'y arrive pas. Je suis désolée.

Lucie prit sa fille dans ses bras, et, enlacées, elles sanglotèrent un long moment.

— Alors, on va la manger, cette glace à la gomme balloune ? dit finalement Lucie, en se tamponnant les yeux avec un mouchoir.

— Bonne idée, m'man, on y va ! Regarde, lança Léonie en pointant du doigt une balançoire peinte en bleue, notre place est libre !

Monsieur Gibbon, un petit homme bedonnant remarqua aussitôt les traces de larmes laissées sur les joues de ses clientes préférées. Trop discret pour oser poser une question, il se contenta de leur offrir gracieusement des friandises gelées.

— Régalez-vous, mesdames !

Installées sur « leur » balançoire devant la devanture colorée, Léonie et Lucie se délectèrent de ces cornets de crème glacée et retrouvèrent leur bonne humeur. Pour Léonie, cette éclaircie ne dura qu'un court moment. Sa mère venait d'extraire de son sac à main la fameuse liste des écoles spéciales de madame Strauss.

Lucie la fit tournoyer dans les airs pour la déplier avant de la déposer lentement sur la table qui les séparait. Léonie voyait clair dans le manège de sa mère. Elle détourna le regard vers un caniche et un chihuahua qui jouaient au loin. Elle n'avait nulle envie de s'attarder sur cette feuille stupide qui lui rappelait sa DIF-FÉ-REN-CE. Son PRO-BLÈ-ME.

Mine de rien, sa mère lut quelques lignes à haute voix :

- l'École des Voyageurs, à Chambly ;
- l'École Jean-Sol-Partre, à Sainte-Catherine ;
- l'École Marguerite-Bourgeon, à Montréal ;
- l'École Alternative du Beau-Chemin, à Granby ;
- l'École Supérieure des Sœurs-de-Sainte-Thérèse, à Saint-Benoît-du-Lac ;
- l'École des Gars, à Saint-Apaisant.

— Alors, cocotte, qu'en penses-tu ? Celle-ci a l'air bien, non ?

Léonie regardait furtivement le paragraphe que lui pointait sa mère du bout de l'index et critiquait chacune des écoles.

« Programme adapté aux jeunes ayant des besoins particuliers. »

— Trop poche ! Ils parlent de nous comme si nous étions des êtres étranges ou bien des extra-terrestres, fit-elle en haussant les épaules.

« Une école stimulante dans un environnement moderne et 100 % informatisée. »

— Ouache, je déteste les nouvelles technologies, lâcha-t-elle en se levant.

Ou encore : « Une école privée qui promet aux parents des résultats scolaires spectaculaires et où chaque élève est rigoureusement encadré par du personnel hautement qualifié. »

— Pff ! On parle d'une école primaire ou de l'université, là ? Aucune ne me plaît, maman. Tu n'as qu'à choisir pour moi, trancha la jeune fille en s'éloignant vers l'auto.

Quelques jours plus tard, Lucie profita de l'absence de Léonie pour passer un coup de fil dans différentes écoles afin de procéder à son inscription en 5e année.

— Désolée, madame, nous n'acceptons plus d'élèves pour la prochaine rentrée, répondit une secrétaire d'école.

— La période d'inscription est terminée depuis le 6 mai dernier, madame, dit une autre.

— Impossible de considérer la candidature de votre fille, nous n'avons reçu aucun dossier à son nom. Nos élèves doivent être référés par leur médecin de famille, sans quoi…

En désespoir de cause, Lucie téléphona à la directrice de l'*École Marie-Curie.*

— Madame Strauss, il n'y a plus de place disponible dans les écoles que vous m'avez référées, ou alors la période d'inscription est terminée.

— Cela ne m'étonne pas, madame Cousineau. Il aurait fallu faire des appels aussitôt que je vous ai remis la liste des écoles. Je ne peux malheureusement pas intervenir à ce stade-ci de l'année. Je vous souhaite la meilleure des chances dans vos démarches.

La directrice raccrocha, ne laissant même pas le temps à Lucie de s'exprimer.

— Quelle dame insensible ! maugréa la pauvre mère.

Sur la table de la cuisine, entre trois tasses de café vides, deux assiettes sur lesquelles traînaient quelques croûtes de pain et un bol débordant de fruits, se trouvait la liste complètement noircie, barbouillée et hachurée des écoles spéciales. Une seule ligne demeurait encore lisible. Normal, il s'agissait de l'*École des Gars* ! Mais Léonie était une fille. Lucie ne pouvait tout de même pas se résoudre à inscrire sa cocotte chérie dans une école de gars !

Le combiné du téléphone à la main, elle lisait et relisait les quelques lignes qui décrivaient l'*École des Gars*.

« Une école réservée aux enfants bourrés d'énergie et de talents, dirigée de main de maître par un directeur sensible aux intérêts et au potentiel de chacun, animée par un groupe d'enseignants passionnés... »

Sa treizième lecture lui permit de remarquer un détail surprenant. Malgré le nom de l'école, rien dans le descriptif de celle-ci ne mentionnait qu'elle n'était réservée qu'aux garçons. À ce moment précis, Lucie trouva le courage de téléphoner à l'*École des Gars*. En appuyant sur la touche TALK du clavier, elle s'aperçut qu'il n'y avait aucune tonalité.

— Allô, allô ?

— Bonjour, madame Cousineau, mon nom est Firmin Dussault.

Surprise, Lucie bafouilla quelques mots :

— Mais, mais voyons, j'allais justement vous appeler ! Vous êtes bien le directeur de l'*École des Gars* ?

— Oui, c'est moi-même.

Firmin Dussault eut un rire timide.

— Quelle étrange coïncidence ! s'exclama Lucie. Mais, comment se fait-il que ce soit vous qui me téléphoniez ?

— Oh, j'ai une petite note comportant vos coordonnées qui traîne sur mon bureau depuis quelque temps déjà.

— Ah! J'imagine qu'elle provient de madame Strauss, la directrice de l'*École Marie-Curie*...

— Non, je ne connais pas cette dame, la note est plutôt de Foin... Hum, de mon collègue.

Rien à faire, monsieur Firmin avait encore bien du mal à ne pas faire allusion à son fidèle ami Foinfoin. Le directeur, sans cesse étonné et émerveillé par le travail de son mystérieux collègue, aurait préféré pouvoir en parler à tout le monde et crier sur tous les toits à quel point il était extraordinaire. Mais il avait, lui aussi, fait la promesse de ne jamais parler de Foinfoin à qui que ce soit à l'extérieur de l'école. Ou presque...

— Alors, voilà. Le but de mon appel est le suivant...

Monsieur Firmin expliqua de long en large les caractéristiques de l'*École des Gars,* en évitant bien sûr de parler de Foinfoin. Pour conclure l'entretien, il annonça à Lucie qu'il accepterait volontiers d'accueillir sa fille au sein de cette école formidable.

— Je vous promets, madame Cousineau, que mon personnel enseignant et de soutien fera des pieds et des mains pour assurer à Léonie une année remplie de succès, et surtout, de bonheur. Nous adapterons notre programme en fonction de son arrivée et elle ne regrettera pas son passage ici. J'espère vivement que vous réfléchirez à ma proposition. Nous serions vraiment ravis de…

Émue par ces propos inattendus, Lucie l'interrompit :

— C'est d'accord, monsieur Dussault. Je suis flattée de cette belle invitation. Je l'inscris. Maintenant. Sans aucune hésitation. Merci infiniment.

Enchantée, Lucie attendit impatiemment le retour de sa fille. Elle ne se doutait pas que sa bonne nouvelle allait avoir l'effet d'une bombe. Le simple fait de prononcer le nom de l'*École des Gars,* déclencha une colère chez Léonie :

— Jamais. Tu m'entends ? Jamais je ne mettrai les pieds à l'*École des Gars* ! JA-MAIS ! Je te déteste ! JE TE DÉTESTE !

La jeune fille, enragée, courut vers sa chambre et claqua brusquement la porte derrière elle.

Au même moment, à quelques kilomètres de là, Firmin Dussault relisait la petite note écrite il y a quelque temps à son intention.

Bureau de Foinfoin

Cher Monsieur,

Je sais que votre école est conçue pour les garçons et sachez que j'en comprends très bien les raisons. Toutefois, une jeune Léonie a grandement besoin de vous et de toute votre équipe. Il est impératif de l'admettre au sein de notre établissement, sans quoi elle perdra définitivement espoir quant à sa réussite scolaire. Je suis prêt, mon cher ami, à faire tout ce qu'il faut afin qu'elle se sente bien accueillie dans notre univers masculin. Je vous laisse le soin de réfléchir à ma demande, mais surtout, ne tardez pas. Voici les coordonnées de sa mère :

Madame Lucie Cousineau

450 838-2333

Je retourne à ma bande de gars... et à la préparation du Spectaculaire Spectacle...

Avec tout mon dévouement, cher Monsieur, acceptez mes salutations loyales.

Foinfoin

CHAPITRE 3

Un garçon à l'allure bizarre

Par un splendide après-midi, Rémi, qui avait déjà bien profité de ses premières semaines de vacances, reçut une lettre qui le propulsa littéralement au septième ciel.

De la cuisine, Rémi se mit à crier à tue-tête:

— Maman! Maman!

Judith entendit son fils hurler depuis le fond de son jardin, où elle s'affairait à arroser son majestueux hibiscus (sa grande fierté), ses pétunias, ses bégonias et ses autres magnifiques fleurs aux couleurs vives. Prise de panique en entendant crier ainsi, elle laissa tomber son arrosoir rempli d'eau et se dirigea en moins de deux vers la maison.

En tournant le coin de la maison pour grimper les marches de l'escalier menant à la galerie, elle fut presque renversée par le garçon qui arrivait à vive allure en sens opposé. La vue obstruée par un immense cèdre, elle ne l'avait pas vu venir.

— Rémi, que se passe-t-il ?

— Maman, maman, tu ne devineras jamais.

— Quoi donc ?

— C'est l'*École des Gars* !

— Quoi, l'*École des Gars* ? Il est arrivé quelque chose à l'*École* ?

— Non, dit Rémi plus qu'excité. J'ai reçu une lettre.

— Ton bulletin ? demanda Judith.

— Non, c'est une invitation. Rémi poursuivait frénétiquement ses explications. Il y aura une deuxième classe cette année et on m'offre de m'y inscrire. N'est-ce pas merveilleux, maman ?

— Oui, bien sûr, mon grand ! Je suis très heureuse pour toi. Je croyais que l'*École des Gars* n'avait qu'une seule classe, réservée aux élèves de 5e année.

— Oui, en principe, mais là, c'est différent, ils ont reçu du *filan,* euh… du *bilan,* euh… du *milancement,* enfin, quelque chose qui permettra l'ajout d'un groupe. Tiens, lis toi-même, moi, je ne comprends pas tous les mots !

Saint-Apaisant, le 10 juillet

Rémi Beaudry-Allard
3030, rue des Tulipes
Saint-Exupéry (Québec) J0N B0B

Cher Rémi,

C'est avec un immense plaisir que nous tenons à t'informer des changements qui ont eu lieu à l'*École des Gars* depuis le Spectaculaire Spectacle du 22 juin dernier.

Lors de cet événement, la mairesse de Saint-Apaisant, Madame Belleville, a été ravie et particulièrement touchée par la prestation de tous les élèves. La Ville a donc décidé de nous accorder le financement nécessaire à l'ouverture d'une seconde classe. C'est une première à notre école et nous en sommes très heureux !

D'un commun accord, Monsieur Chang, Monsieur Sylvain, Monsieur Bernard-Aristide, Monsieur Brandon, Monsieur Zolan (vos enseignants préférés) et moi avons décidé d'aménager cette nouvelle classe à l'intention de la dernière cohorte dont tu faisais partie.

J'espère vivement que cette décision te rendra heureux, mon cher Rémi, et que tu accepteras de nous faire l'honneur de ta présence à compter du 29 août prochain. Sache que d'ici là, nous travaillerons très fort afin de te faire vivre une 6e année tout aussi passionnante que la 5e année. D'autres projets stimulants et enrichissants verront certainement le jour.

Nous attendons une réponse de ta part d'ici le 23 juillet.

Cordialement,

Le directeur de l'*École des Gars*,

Firmin Dussault

Firmin Dussault

Judith fut très heureuse d'apprendre la nouvelle. Malgré les progrès de Rémi, elle s'inquiétait de son retour à l'école régulière. En lisant cette lettre, elle se réjouit à l'idée de vivre à nouveau une année scolaire remplie de chouettes péripéties et de conversations amusantes avec son fils. Cependant, elle ressentit un léger sentiment de culpabilité en pensant aux devoirs et leçons qu'elle n'aurait pas à subir soir après soir…

Après avoir confirmé son inscription (avec enthousiasme) à monsieur Firmin, Rémi s'empressa d'appeler Guillaume, son meilleur ami, afin de connaître sa décision quant à ce retour inattendu à l'*École des Gars*. Guillaume, qui avait fait une vilaine chute l'an dernier, était demeuré dans le coma plusieurs jours. Cette léthargie lui avait laissé quelques séquelles. Rémi l'avait d'ailleurs remarqué lors du dernier match de soccer disputé chez lui. Le coup de pied de son ami manquait désormais de précision. Son rythme à la course à pied avait ralenti. Même le débit de sa voix semblait plus lent. Rémi s'en inquiéta. Et si l'*École* n'en voulait plus ?

Rémi fut rapidement soulagé en entendant le ton enjoué de son copain. En un éclair, une chaîne téléphonique s'était créée et, très vite, les 30 gars apprirent que tous avaient répondu « oui » à la chaleureuse invitation de monsieur Dussault.

Par ce même splendide après-midi, un drame se tramait à quelques rues de chez Rémi. Léonie, qui avait reçu la confirmation de son inscription à l'*École des Gars,* s'était enfermée dans un mutisme profond.

Les jours et semaines passèrent, et Léonie refusait toujours de parler. Lucie avait tout tenté. Des visites au Palais des glaces. Des randonnées équestres. L'invitation récente lancée à son neveu Fabrice pour séjourner quelque temps à la maison (mais au bout d'une journée, le garçon repartit chez lui, car Léonie n'avait pas décloué le bec). Des heures de patinage au Centre sportif municipal. Des billets pour assister au spectacle du groupe de musique préféré de Léonie, les Black Eyes. Rien n'y faisait.

L'été tirait déjà à sa fin. L'ensoleillement diminuait de jour en jour, ce qui annonçait indéniablement le début d'une nouvelle année scolaire. Les soirées, plus fraîches, avaient fait taire les voix criardes des enfants dans les piscines avoisinantes.

La veille de la rentrée scolaire, ne voyant aucune amélioration chez sa chère fille, Léonie téléphona à Firmin Dussault pour l'informer de la situation.

— Bonjour, monsieur Dussault.

— Bonjour, madame Cousineau. Et puis, votre fille est-elle fébrile à l'idée d'intégrer notre super École ?

— Hum, non, justement. Je dirais même que c'est plutôt le contraire.

— Ah bon, s'étonna monsieur Firmin, peu habitué à ce genre de réaction.

— En fait, poursuivit Lucie, depuis qu'elle sait qu'elle fréquentera votre école, elle ne parle plus.

— Plus du tout ?

— Plus un seul mot.

— Croyez-vous qu'elle accepterait de me parler ou, devrais-je dire, de m'écouter ?

— Je ne crois pas, mais nous pouvons toujours en faire l'essai.

Lucie interpella sa fille qui, finalement, d'un pas lent, s'approcha du téléphone. La mère fut attendrie en apercevant Léonie, le combiné collé à l'oreille, esquisser un sourire timide. Tout au long de cet interminable monologue, la jeune fille hocha la tête. De gauche à droite, et de bas en haut. Elle n'émettait aucun son, mais, à tout le moins, elle réagissait aux propos de son futur directeur. C'était là un point encourageant.

— Et puis, que t'a-t-il dit, cocotte ? Tu avais l'air de trouver ça drôle ?

Lucie ne reçut qu'un regard coquin en guise de réponse. La jeune mère s'occupa à toutes sortes de tâches ennuyantes (ménage, lavage, pliage, et quoi encore !) afin d'éviter d'être confrontée au silence de sa fille.

Pendant ce temps, Léonie, enfermée dans sa chambre et dans son mutisme, préparait fébrilement sa rentrée, comme le lui avait suggéré Firmin Dussault, le directeur qu'elle affectionnait déjà.

En plus des aimants géants en forme de lettres, des feuilles de papier de soie aux couleurs de l'automne, des quelques accessoires de plongée sous-marine, d'une trompette de plastique vert fluo et d'un harnais, elle dénicha pour l'occasion:

- Un t-Shirt noir à l'effigie de Superman que Fabrice avait oublié;
- Un bermuda à carreaux;
- Des chaussures de skate (oubliées aussi par son cousin).

Fouillant dans sa garde-robe, elle finit par trouver un objet mou, noir et poilu, qui lui arracha un petit rire satisfait…

Le lendemain matin, quelle ne fut pas la surprise de Lucie en s'introduisant dans la cuisine de trouver, à la place de sa cocotte chérie, un GARÇON aux cheveux noirs, occupé à dévorer une pile de rôties grillées. Éberluée, elle poussa un cri et le garçon se retourna.

— Salut, m'man! lança Léonie, amusée par la réaction de sa mère.

— Ah... c'est, c'est toi, bredouilla Lucie. Et tu, tu, tu parles maintenant ?

— Depuis que je suis un garçon, oui, je parle !

— Léonie, ne me dis pas que tu vas à l'école accoutrée comme ça ? dit Lucie, qui reprenait ses esprits.

— OOOH OUI !!! Tu as voulu m'inscrire à l'*École des Gars* ? Alors j'irai à l'école... en GARS ! Pas question que je me pointe là en fille.

— Mais, ce n'est pas possi...

À cet instant, la voix de Lucie Cousineau fut couverte par un chœur de garçons qui lançaient des cris tonitruants provenant de la fenêtre grande ouverte, ou plutôt d'un autobus jaune qui fit son entrée dans l'allée.

— LÉ-O, LÉ-O, LÉ-O ! scandaient-ils à l'unisson.

— Mon autobus est arrivé ! s'exclama Léonie, en se levant brusquement. Mes camarades de classe m'appellent.

La tradition n'avait pas changé. Les anciens de l'École accueillaient les nouveaux arrivants en piochant sur la carrosserie de l'autobus, encore plus endommagée que l'année précédente.

— Léo ? Ils se trompent de prénom…, balbutia Lucie, encore sous le choc.

— Non, maman. À partir d'aujourd'hui, je m'appelle « Léo », fit Léonie d'un ton catégorique. Tu voulais que j'aille dans une école de gars, alors je porte un prénom de gars !

Sur ce, la jeune fille ouvrit la porte d'entrée, jeta son sac à dos sur son épaule, puis elle se dirigea vers l'autobus d'un pas faussement confiant. Encore vexée que sa mère l'ait inscrite à une école de gars contre son gré, Léonie ne se retourna même pas pour la saluer.

La larme à l'œil, Lucie se dirigea vers le téléphone avec la ferme intention de parler à Firmin Dussault.

— … Mais monsieur Dussault, je ne comprends rien du tout… ma fille a été accueillie en tant que Léo ce matin… elle est vêtue en garçon et porte une horrible perruque noire sur la tête… je ne peux pas croire qu'elle…

— Madame Cousineau, calmez-vous, lança gentiment monsieur Firmin. Nous avons proposé à votre fille de se métamorphoser en garçon le temps de s'habituer à sa nouvelle école. C'est une idée de Foi... Hum, c'est une idée qui m'est venue spontanément en lui parlant hier et qui a semblé lui plaire.

— ... Mais monsieur, l'un des objectifs de votre École si extraordinaire consiste à accepter les jeunes tels qu'ils sont, n'est-ce pas ? N'y a-t-il pas là une étonnante contradiction ? Vous proposez à ma fille de changer de sexe... et croyez pouvoir ainsi l'aider à diminuer ses comportements provocateurs et à augmenter son intérêt pour l'école ?

— Je comprends votre inquiétude, madame Cousineau. Tout ce que je peux vous suggérer en ce moment est de me faire confiance. De nous faire confiance. Nous travaillons ici en équipe et avons une solide expérience auprès des jeunes qui présentent des caractéristiques particulières. Je vous en conjure, chère madame, ne considérez surtout pas ma proposition saugrenue comme une insulte. Je vous promets que votre fille retrouvera très vite son intérêt pour les jupes, de même qu'un intérêt marqué pour ses études.

CHAPITRE 4

Une rentrée agitée

Dans l'autobus, il n'y avait dorénavant qu'une seule place libre. Les anciens, Rémi, Guillaume, Justin, Patrick et Samuel, Alexi, Augustin, Olivier, Benoît, Juan, Thomas, Julien, Miguel, Cédric, Tuang, Jean-Baptiste et tous les autres étaient très heureux de se retrouver. Les accolades et poignées de mains, les commentaires devant le nouveau look vestimentaire de l'un et la nouvelle coupe de cheveux de l'autre fusaient de partout. Les recrues, beaucoup plus réservées, se contentaient de sourire devant ces manifestations de bonheur intense. À l'exception de Léonie. Elle se demandait vraiment ce qu'elle faisait là, au beau milieu de cette troupe agitée, déguisée en garçon.

Un garçon à la taille fine et aux traits particulièrement délicats.

Ce fut Guillaume qui remarqua le premier les particularités du jeune garçon qui était assis devant lui. Il chuchota à l'oreille de son ami :

— Rémi, tu as vu ce gars ? Ses cheveux sont encore plus bizarres que les miens. Coupés en escalier et retroussés vers le haut. Trop drôle !

Rémi, exalté par ces agréables retrouvailles, n'avait porté aucune attention aux nouveaux. Encore moins à celui qui suscitait la curiosité de son ami. Le jeune garçon à la chevelure noire était si tranquille que Rémi ne l'avait même pas remarqué.

— Alors, qu'en penses-tu, Rémi ?

Décidément trop excité, ce dernier se contenta d'une courte réponse :

— C'est vrai qu'il n'est pas vraiment sur la coche celui-là !

Et Rémi, fidèle à lui-même, se mit à jacasser avec ses amis. Patrick et Samuel (les jumeaux) lui firent le récit de leurs vacances au Mexique, de leur expérience de plongée sous-marine et de leur fabuleuse visite des vestiges Maya. Ensuite, ce fut au tour d'Alexi de vanter ses prouesses. Eh oui, ses parents adoptifs l'avaient inscrit à quelques cours d'aviation durant l'été. Ensuite, ce fut Justin qui raconta la triste histoire de Coco, son berger allemand, qui avait perdu la vie à la suite d'une longue maladie.

Guillaume, pour sa part, était plus discret. Son accident et la période de rééducation qui s'en était suivie lui avaient conféré une certaine maturité. Plus calme que les autres, il s'intéressait à ce garçon silencieux qui se trouvait à quelques centimètres de lui. Depuis le début du trajet, ce dernier n'avait pas prononcé un mot, contrairement aux autres nouveaux qui oubliaient leur timidité.

Guillaume avait remarqué l'émotion de Léo devant le récit de la mort de Coco ; quelques larmes avaient même roulé sur ses joues. Guillaume fut le seul à percevoir cette manifestation de chagrin et il ressentit un élan de sympathie envers le « nouveau ».

Un peu étourdi par l'agitation de Rémi, Guillaume se promit alors de s'asseoir à côté de Léo dès le lendemain. En espérant que son grand ami ne soit pas offusqué.

Les cinquante-neuf élèves descendirent de l'autobus en file indienne pour ensuite former des équipes de deux. Quelques instants plus tôt, le chauffeur avait donné aux anciens la consigne d'escorter un nouveau jusqu'à la cour d'école.

Les trente élèves de 6e étaient enchantés de pouvoir agir à titre de guides auprès des élèves de 5e année. C'est ainsi que, deux par deux, les gars traversèrent le dense boisé. Le vingt-neuvième élève de 5e année, Léo (alias Léonie), se retrouva seul à la fin du rang, juste derrière Guillaume et un nouveau à l'air dur, qui s'interrompait toutes les cinq minutes pour projeter des cailloux d'un puissant coup de pied.

— À mon ancienne école, on m'appelait Gus-la-Terreur ! clama-t-il fièrement.

Pour appuyer ses paroles, il se retourna et cracha un long jet de salive qui alla s'écraser sur la chaussure de Léo.

Gus-la-Terreur. Guillaume le détestait déjà.

Comme les autres gars, Léo s'émerveilla devant le décor de l'*École des Gars*.

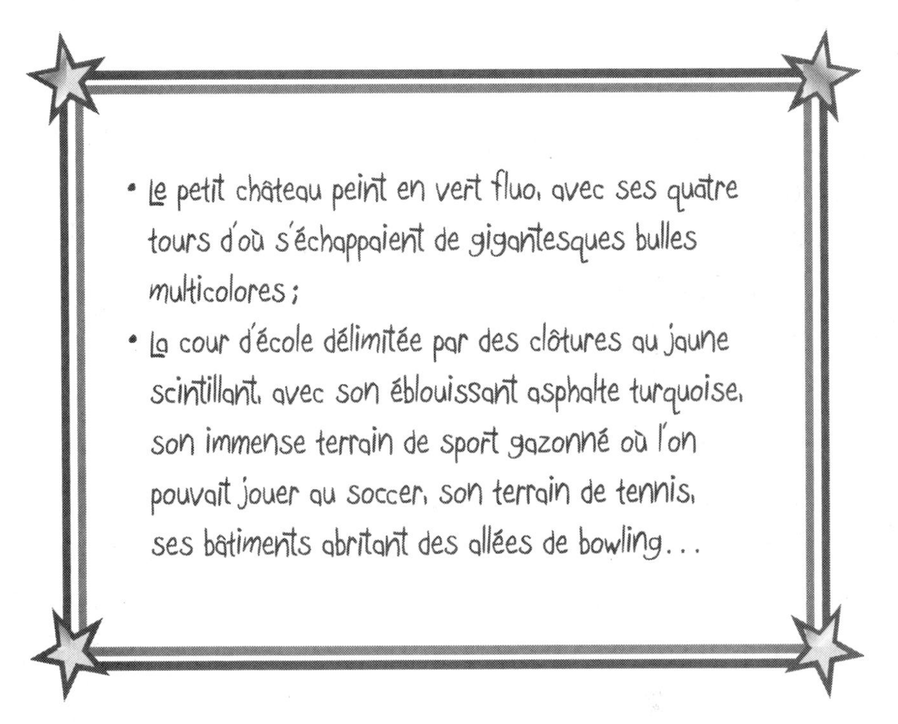

— Une piscine olympique, hurla Gus, en tambourinant sur la baie vitrée derrière laquelle on voyait scintiller une eau bleu océan. Hey, les gars, on m'appelle aussi le fou du plongeon...

Les garçons avaient remarqué une nouveauté impressionnante : un imposant portail réservé à la pratique du saut à l'élastique (ou *bungee*), en haut d'une grue orange !!!

— Sac à papier ! s'exclama Rémi.
— Incroyable, renchérit Guillaume en se frottant le toupet.

Les oreilles bourdonnantes à cause des hurlements des gars, Léo promena son regard autour de lui. Le pseudo-garçon espérait apercevoir un rond à patiner, un anneau de gravier, des bandes de bois ou toute autre structure qui lui aurait permis, en temps plus froid, de chausser ses patins. Malheureusement, il ne vit rien qui pouvait ressembler à une patinoire.

Un bruyant coup de trompette se fit entendre. Léo sursauta. Devant la porte principale se tenait un trompettiste. Il s'agissait bien sûr de Firmin Dussault, le directeur de l'*École des Gars,* accompagné de son équipe d'enseignants qui se préparaient aux présentations officielles.

L'homme aux traits sympathiques et à la carrure imposante affichait une tenue soignée (cheveux noirs fraîchement coupés et vêtements dernier cri). Dès le premier instant, Léo eut un coup de cœur pour cet élégant directeur à la voix apaisante et aux gestes calmes.

— Mes chers amis, je vous souhaite la bienvenue à l'*École des Gars*. Pour les anciens, je me contenterai de vous dire qu'une année ÉPOUSTOUFLANTE vous attend. Pour les nouveaux, Nataniel, Gus, Jean-Philippe (Peppy), B. B. (Benoît Berthier), Denis, Mathis, William, Samy, Jérémy, Adam, Lucas, Alberto, Fiing…, je suis Firmin Dussault, votre directeur et trompettiste, heureux de vous accueillir. Ici, tout est différent. Grâce à vos enseignants passionnés, vous découvrirez rapidement vos talents, vos forces et vos aptitudes. Nous travaillerons d'arrache-pied pour vous accompagner dans votre cheminement scolaire, et ce, dans le plaisir et l'action. Sans plus tarder, je laisse vos enseignants se présenter eux-mêmes…

C'est en sautant en *bungee* que les enseignants se nommèrent à tour de rôle :
— Monsieur Zo-o-o-lan, enseignant d'arts plastiques… Monsieur Bernard-A-A-A-risti-i-i-de, éducation physique… Monsieur Cha-a-a-ang, mathématiques…

Ensuite, les garçons furent invités à grimper au sommet de la grue où monsieur Sylvain (enseignant de français) les harnachait solidement, avant de les précipiter dans le vide. Chacun d'eux hurla son nom à pleins poumons en se laissant aller. Tous relevèrent ce premier défi avec fierté. Même Justin et Guillaume qui étaient moins amateurs de sensations fortes que les autres élèves. Léo, lui, dut se concentrer pour hurler « Léo Cousineau » au lieu de son véritable nom…

Au sol, monsieur Brandon (enseignant d'informatique et d'anglais) remit à chacun une récompense en guise de félicitations.

Dans le sac en velours bleu royal de Léo, il y avait un médaillon contenant une minuscule photo de son frère Alexandre, une carte de son héroïne, Joanie Ticaillou (LA grande championne de patinage artistique) ainsi qu'une jolie épinglette en forme de patin. Léo fut très heureux de ces cadeaux qu'il dissimula rapidement dans son sac à dos avant qu'un des gars ne fasse une remarque déplacée à leur propos.

La déception de ne pas avoir aperçu de patinoire aux alentours de l'école, ajoutée à l'angoisse de se voir passer l'année en compagnie de ces nombreux garçons turbulents, avait été atténuée par ces cadeaux, mais surtout, par un billet qu'il trouva dans sa boîte à lunch à l'heure du dîner.

Chère Léonie,

Je suis vraiment ravi que tu aies accepté l'invitation de monsieur Firmin. J'ai très hâte de te connaître...

Foinfoin XXX

P.-S. Pour la glace, ne t'en fais pas. Tu patineras beaucoup plus vite que tu ne le crois...

Re-P.-S. Je t'offre, en guise de bienvenue, ce petit proverbe :

« Quand un arbre tombe, on l'entend ; quand la forêt pousse, pas un bruit. »

— Mais qui donc est ce Foinfoin ? se questionna Léo tout l'après-midi. Sûrement un enseignant puisqu'il sait que je suis une fille... Et que veut donc dire ce proverbe ?

CHAPITRE 5

Un garçon bouillant de rage

La bouche remplie de céréales Croque-Avoine, Rémi raconta tous les détails de sa journée de la veille aux femmes de sa vie. Sa sœur Joli-Ann et sa mère Judith l'écoutaient, amusées.

« C'est trop cool, Guillaume a l'air de péter le feu... Il se gratte encore la tête toutes les deux minutes... »

« Il y a un nouveau qui s'appelle Gus, quel tannant celui-là ! J'espère que l'*École des Gars* en viendra à bout... »

« Le pauvre Justin, il a perdu Coco, son berger allemand. Comme il parle vite maintenant. Plus vite que l'éclair ! » (L'an dernier, Justin souffrait d'un trouble de langage dont il s'était débarrassé après une mémorable séance en parachutisme.)

« J'ai eu toute une trouille au moment où monsieur Sylvain me lançait dans le vide. Heureusement, tout s'est passé si rapidement que je n'ai pas eu le temps de réfléchir. J'ai crié tellement fort qu'on a dû entendre mon nom jusqu'en Espagne. Hey, papa l'a peut-être entendu sur son bateau. Toi, maman, tu ne m'as pas entendu ? », demanda Rémi naïvement sans attendre la réponse.

« Et dans ma pochette, j'ai reçu une carte plastifiée de Richard Maurice, le grand champion. Elle vaut très cher aujourd'hui, enfin, je crois bien », ajouta-t-il en fronçant les sourcils.

« Il y a plein de nouvelles installations... une piste d'athlétisme asphaltée, un mur d'escalade, une maisonnette construite avec de vieilles pierres et une planche sur laquelle est gravé : Les artefacts de Foin... Euh, se reprit Rémi en se rappelant qu'il ne fallait pas parler de Foinfoin à l'extérieur de l'école, je veux dire, Les artefacts du Coin. Peut-être ferons-nous des fouilles archéologiques ? Ce serait super, moi qui rêve de devenir archéologue ! »

« Une chose est certaine, on ne s'ennuiera pas ! », conclut le garçon, à bout de souffle.

À quelques rues de cette maisonnée heureuse se trouvaient deux personnes nettement moins gaies, attablées devant des assiettes bien remplies.

— Tu ne manges pas, cocotte ? dit Lucie.

— Pas faim, ronchonna Léonie.

— Tu me racontes ta première journée d'école ? L'autobus n'arrive que dans vingt minutes, reprit Lucie, après avoir mordu dans sa rôtie.

— Non, répondit sèchement Léonie. De toute façon, ça m'énerve de t'entendre mâcher ta rôtie brûlée.

Sur ces paroles peu aimables, elle fila dans sa chambre et claqua la porte derrière elle. Le cœur gros, Léonie ouvrit sa garde-robe, et attrapa l'objet auquel elle tenait le plus : une paire de patins d'un blanc immaculé que lui avait offerte Alexandre quelques jours avant l'accident. Bien qu'elle les ait portés fréquemment depuis, aucun signe d'usure ne paraissait. Léonie y faisait si attention… Alors que la plupart des filles de son âge trouvaient du réconfort auprès d'une peluche, d'une poupée ou d'un animal de compagnie, Léonie s'apaisait au contact de ses patins. Personne n'avait le droit d'y toucher. Même pas sa propre mère ! Les chausser était un pur plaisir. Sur la glace, la jeune fille avait soudainement l'impression d'être une fée, légère et scintillante. Cette impression, elle la devait à ses patins. Elle conserverait toutes ses paires de patins, jusqu'à son dernier jour, s'était-elle promis depuis la mort de son grand frère.

Après les avoir contemplés longuement, elle les glissa dans son sac à dos. Même s'il n'y avait pas l'ombre d'une patinoire à l'École, ses précieux patins l'aideraient à affronter cette deuxième journée avec cette bande de gars bruyants.

Dans l'autobus, Guillaume demanda à Rémi d'échanger sa place avec Léo. Sans discuter, Rémi s'installa sur la banquette juste devant lui.

Guillaume n'était pas au bout de ses peines avec Léo. Tout au long du trajet, il essaya d'engager la conversation, mais chacune de ses questions (des plus banales aux plus indiscrètes) ne recevait qu'un mince écho qui sonnait comme suit: « Oui. Non. Pas vraiment. Sais pas. Peut-être. »

Ou, pis encore, un profond soupir d'ennui !

Guillaume entreprit alors de parler de lui. Peut-être aurait-il plus de succès en racontant sa chute qui faillit être mortelle, ses nombreuses semaines passées à l'hôpital et son retour à l'*École des Gars,* lors du Spectaculaire Spectacle de fin d'année ? Ce monologue fut encore une fois ponctué de :

« Ah... Mouais. Hum, hum. C'est tout ? »

À la fin du trajet, Guillaume était épuisé par ses efforts. En se retournant vers lui, Rémi éclata de rire. Normal, à chacune de ses tentatives de dialogue ratées, Guillaume s'était gratté le front, le cou, l'arrière de la tête, le dessus de la tête, le toupet. Bref, on aurait dit qu'un pétard avait explosé dans ses cheveux roux !

Le rire de Rémi était contagieux. En moins d'une seconde, toute la troupe se payait la tête de Guillaume qui, heureusement, n'était pas susceptible. Au contraire, il se mit de la partie en aggravant son cas : il lissa sa chevelure pour créer un mohawk haut de plusieurs centimètres ! Tous les élèves le regardaient, morts de rire.

Du coin de l'œil, Guillaume vit un sourire discret se dessiner sur le visage fin de Léo. Guillaume en fut ravi. Finalement, ses efforts n'avaient pas été vains…

En ce début d'année, Foinfoin ne s'était pas présenté dans la nouvelle classe de 5e année. Et il ne s'était même pas pointé dans la classe de 6e, au grand étonnement des élèves.

Où se cachait donc le petit homme ?

En haut de la tour sud-ouest ! Et plus précisément dans la plus petite pièce de l'école, surnommée *la grotte* par les élèves, tellement son plafond était bas et les murs incurvés. Entouré de ses collections d'objets étranges (statuettes en terre cuite, têtes réduites, fioles et éprouvettes, flacons remplis de substances opaques ou fluorescentes), Foinfoin était plongé dans une pile de vieux bouquins, bien installé sur son lit recouvert d'une courtepointe rouge.

Que cherchait-il ?

Lui seul le savait…

Quelques jours passèrent. Pendant les récréations, les anciens commençaient à s'inquiéter de son absence.

— Mais où est donc Foinfoin, cette année ?

— J'espère qu'il ne nous a pas laissé tomber ! s'écria Alexi.

— Foinfoin ne nous laisserait JAMAIS tomber, répondit Rémi.

— Alors, il est peut-être malade ? dit Samuel.

— Si Foinfoin était malade, monsieur Firmin nous aurait avertis, rétorqua son jumeau, Patrick.

À quelques pas de là se tenait Gus, vêtu d'une veste de cuir et arborant un *piercing* au nez. (Léo trouvait cet accoutrement ridicule pour un garçon de cet âge, mais jamais il n'aurait osé le lui dire.) Gus s'avança vers le petit groupe.

— De qui vous parlez au juste ?

— Oh, de personne, répondit Rémi.

— Comment ça, de personne ?

— Tu verras bien plus tard, répondit calmement Alexi.

Vexé, Gus, s'énerva. Prenant son élan, il poussa avec le pied tout ce qui se trouvait sur son passage : un ballon, les sacs à dos que certains laissaient traîner dans la cour lors des récrés, des cônes orangés qui indiquaient le trajet d'un jeu d'équipe.

Il pensait bien se trouver un partenaire pour se battre ! Pour Gus, tous les prétextes étaient bons pour entreprendre une bataille. L'an dernier, à pareille date, Alexi se serait rué sur lui sans la moindre hésitation. Mais à présent, il gardait son calme et ne ressentait nulle envie de livrer un combat à ce garçon frustré. Désormais, Alexi, l'ex dur à cuire de l'*École des Gars,* préférait régler les conflits autrement.

Bouillant de rage, Gus poussa sauvagement la première personne qui se trouvait sur son chemin… Léo !

CHAPITRE 6

Une arme... blanche!

Léo bascula vers l'arrière. Son sac à dos (elle – ou plutôt « il » – le traînait partout depuis le matin) aurait dû amortir le choc mais, au contraire, le pseudo-garçon poussa un cri déchirant dès que son corps s'abattit sur le sol.

Une cinquantaine de garçons s'étaient empressés de lui porter secours alors que les autres tentaient tant bien que mal de raisonner Gus qui n'affichait pas le moindre remords.

— Je l'ai à peine touché, ce maigrichon!

Les enseignants, alertés par le tumulte, arrivaient à toutes jambes sur les lieux de l'incident. Monsieur Zolan, occupé à peindre dans la remise située tout près, et monsieur Bernard-Aristide furent les premiers à se frayer un chemin à travers l'attroupement.

Léo, allongé sur le dos, gémissait de douleur. Pas la moindre larme, toutefois, ne marquait son visage. Gus, qui craignait les réprimandes, en profita :

— Il ne pleure même pas ! Il fait semblant d'avoir mal, vous voyez bien !

Soutenu par les deux enseignants, Léo réussit péniblement à se relever, abandonnant son sac sur le sol. C'est à ce moment que Guillaume hurla :

— Il saigne !

En effet, une grosse tache rouge s'étalait sur le chandail de Léo, en plein milieu de son dos.

— Il est vraiment blessé ! renchérit Alexi.

Des murmures et des exclamations s'élevèrent alors que Léo, soutenu par les deux enseignants, se dirigeait vers l'école.

— Sac à papier, ça doit faire mal ! dit Rémi.

— *Boy* de *boy*, moi, j'aime pas ça, voir du sang ! ajouta Guillaume.

— Sapristi, il est courageux quand même, fit Alexi.
— Ouais, très courageux ! Moi, à sa place, je serais tombé dans les pommes…, dit Justin.

Et soudain, des applaudissements crépitèrent et des acclamations fusèrent : « On est avec toi, Léo ! T'inquiète pas ! Ils vont te soigner. »

— Tout ira bien ! lança Guillaume en se frottant l'arrière de la tête nerveusement.

En entendant ces encouragements, Léo sentit une vague de chaleur envahir son cœur, oubliant un instant la douleur qui lui perçait le dos.

Aidés de Firmin Dussault, monsieur Zolan et monsieur Bernard-Aristide dirigèrent Léo vers l'infirmerie où ils le déposèrent avec précaution sur une civière.

— Je vous remercie, Messieurs, dit le directeur. Mon cher monsieur Zolan, pouvez-vous retourner auprès de nos élèves pour les rassurer s'il vous plaît ? Ils sont certainement morts d'inquiétude. Monsieur Bernard-Aristide et moi-même, nous tiendrons compagnie à notre blessé en attendant l'arrivée du médecin.

De sa voix calme et posée, le directeur s'adressa à la jeune victime qui ne souhaitait qu'une chose, s'endormir pour ne plus avoir mal.

— Tout ira bien. Docteure Robidoux sera ici dans moins de dix minutes. J'ai déjà appelé ta mère pour qu'elle vienne te chercher. Tu prendras le temps qu'il faudra pour te remettre et guérir de cette fâcheuse blessure.

— D'accord, répondit Léo, dans les vapes.

Ses paupières devenaient de plus en plus lourdes malgré la douleur ressentie dans le bas de son dos. Monsieur Firmin continuait de lui parler, car il craignait qu'il ne perde connaissance. Léo aurait cru entendre son frère.

— Ça va s'arranger, ne t'inquiète pas…

— Alexandre, Alex…

Ému, le directeur laissa échapper une larme qu'il essuya aussitôt en entendant la voix rocailleuse du médecin qui venait de s'introduire dans la pièce.

— C'est une belle blessure ! C'est un canif qui a provoqué ça ?

— Hum... À vrai dire Docteure Robidoux, je n'en sais rien.

— Bon, ça va. Je vais soigner votre élève. Vous, pendant ce temps, tentez de voir qui se promène avec un canif dans votre École. Les armes sont interdites dans les établissements scolaires, monsieur Dussault. Vous devriez savoir ça, depuis le temps que vous en dirigez un !

Un peu vexé par ces propos, mais surtout préoccupé par ce qui avait pu provoquer une telle blessure, monsieur Firmin regagna son bureau. Quelqu'un l'y attendait. Un petit homme mesurant à peine deux pieds, d'un chic à couper le souffle. Il était vêtu d'un complet violet, d'un chemisier blanc impeccable agrémenté d'un énorme nœud papillon jaune et de souliers noirs fraîchement cirés. Le crâne parsemé de quelques cheveux raides comme des baguettes de tambour et les yeux plus gros que des billes derrière des lunettes au verre épais, le singulier personnage aux lèvres pulpeuses ballottait ses courtes jambes dans le vide.

Il s'agissait bien sûr de Foinfoin, qui patientait sur la chaise bien trop grande pour lui.

— Ne vous en faites pas, monsieur Firmin. Ce n'est pas votre faute, dit Foinfoin de sa voix nasillarde, comme s'il lisait dans les pensées du directeur.

— Et cette arme, Foinfoin ? Qu'est-ce que ce serait d'après toi ?

Le nain bomba le torse, comme à chaque fois qu'il réussissait un bon coup, qu'il perçait un mystère ou qu'il arrivait à faire rire un enfant triste. Il hissa de sous la chaise une masse verdâtre et informe. Le sac à dos de Léo !

— Voici l'arme du crime, Monsieur le Directeur, annonça-t-il. C'est notre brave Guillaume qui, dans la mêlée, a réussi à mettre la main dessus.

Au même moment, l'enquêteur miniature sortit la paire de patins blancs et la déposa avec précaution sur le bureau de Firmin Dussault. Il pointa son doigt vers les lames bien affûtées, aussi tranchantes qu'un couteau à bifteck, un poignard ou un scalpel.

— Des patins! s'exclama monsieur Firmin, je n'y aurais jamais pensé! Alors, notre chère Léonie... euh, Léo... est tombé à la renverse sur les lames et cela a causé cette blessure!

— Nous sommes loin du canif auquel Docteure Robidoux faisait allusion plus tôt, n'est-ce pas? murmura Foinfoin en faisant un clin d'œil au directeur.

Firmin Dussault lui répondit par un soupir de soulagement. Encore une fois, il apprécia la présence d'esprit de Foinfoin qui avait trouvé la clé du mystère. Comment aurait-il pu se passer de ce personnage fabuleux? Le seul et unique Foinfoin, aimé de tous!

— Et Guillaume, il les a vus ces patins tout blancs? demanda soudainement le directeur.

Foinfoin hocha sa tête en forme d'œuf et désigna un trou sur le côté du sac à dos.

— Oui, cher Monsieur. Comme vous pouvez le constater, les lames ont traversé le sac. Notre jeune ami était bien curieux de voir ce qui se trouvait là-dedans...

— Hum! Il a sûrement deviné que Léo est en fait une fille? fit le directeur.

— Il ne m'a rien mentionné à ce sujet, Monsieur. Sa préoccupation, pour le moment, c'est que son ami se remette de l'accident. Toutefois, je lui ai demandé de ne pas parler des patins blancs. Vous connaissez Guillaume, sensible et gentil comme il est, il m'a donné sa parole.

— Bien, conclut monsieur Dussault.

Foinfoin sauta sur ses pieds trop grands pour lui et, de sa démarche dandinante comme celle d'un pingouin, il se dirigea vers la porte. Juste avant de la franchir, il récita un autre de ses proverbes :

— *Dire le secret d'autrui est une trahison, dire le sien est une sottise.* Vous le connaissiez celui-là, Monsieur le Directeur, ajouta-t-il du fond du corridor. Il est de Voltaire.

Il n'avait pas sitôt disparu que Lucie entra en trombe dans le bureau de monsieur Firmin. Se confondant en excuses, le directeur tenta d'expliquer avec le plus de précision possible les événements.

— Je vous comprendrais, madame Cousineau, de vouloir retirer votre fille de notre École, conclut-il. Ce genre d'incident est extrêmement rare, je peux vous l'assurer. Hélas, il m'est présentement assez difficile de vous convaincre de tous les bienfaits de notre établissement. Vous m'en voyez bien désolé.

— C'est à ma fille de juger, Monsieur. Sachez que je ne vous blâme pas. Je ne savais pas que Léonie traînait ses patins à l'école. C'est un peu ma faute…

Les deux adultes se dirigèrent ensuite vers l'infirmerie où Docteure Robidoux achevait son dernier pansement. Accoudé contre la civière, Guillaume exécutait avec brio quelques grimaces et des jeux de doigts rigolos afin de détourner l'attention de Léo qui subissait, en plus de ses points de suture, l'humeur désagréable de la docteure.

Léo riait à gorge déployée. Et la docteure avait du mal à panser la dernière plaie, ce qui la faisait râler…

Lucie, émue, s'approcha de sa fille. Après avoir embrassé ses cheveux, elle lui murmura à l'oreille :

— Si tu veux changer d'école, ma cocotte, je comprendrais. Et je ferais tout ce qu'il faut pour t'en trouver une plus…

— Non, maman, surtout pas ! J'adore cette école, répondit-elle en clignant de l'œil vers son nouvel ami… Guillaume.

CHAPITRE 7

La Chasse au Trésor Très Rocambolesque

Une semaine plus tard, les élèves trouvèrent un carton sur lequel était griffonnée la note suivante :

Oyé ! Oyé !

Tu es invité à la Chasse au Trésor Très Rocambolesque !

Où : Devant la tour nord-est

Quand : Le 10 septembre dès 8 h

Découvertes, plaisir et nouvelles amitiés garantis !

Justin avait déniché son invitation dans le fond de son soulier. Guillaume, pour sa part, l'aperçut en plein centre de son cahier d'écriture. Les billets avaient tous été dissimulés à des endroits inusités, comme sous le siège d'autobus pour Justin, dans la boîte de papiers-mouchoirs de Patrick, dans l'étui à lunettes de Peppy, dans le porte-crayon de Samuel. Gus avait enfin trouvé le sien dans le fond de sa poche, et Alexi s'exclama en apercevant son invitation suspendue à une corde retenue par le plongeoir.

Rémi, qui ne trouvait toujours pas son billet, commençait à s'impatienter.

— Sac à papier ! On m'a oublié.

C'est Guillaume qui mit la main dessus dans le cours d'arts plastiques.

— Tiens, le voilà ! s'écria Guillaume, excité.

Le carton avait été soigneusement placé dans le pot de pinceaux que partageaient les deux amis.

— Enfin, dit Rémi, rassuré. Je commençais à croire que je n'étais pas invité.

Fier de sa trouvaille, Guillaume se frotta le toupet.

Le 10 septembre, à 8 h 00 pile, tous les garçons attendaient les premières consignes devant la tour, nerveux à l'idée de se voir résoudre des mystères, courir, grimper et sillonner la forêt. Une chasse au trésor à l'*École des Gars*, ça ne pouvait pas être une activité ordinaire !

Les gars avaient raison. À 8 h 01 exactement, ils reçurent les directives de monsieur Dussault. Après un retentissant coup de trompette (comme c'était son habitude pour faire taire ses élèves), le calme régnait dans la cour d'école. Seul le joli chant d'un cardinal brisait ce silence exemplaire. Le directeur, aidé de ses collègues, formait les équipes en les regroupant dans des cercles dessinés sur l'asphalte à l'aide de craies géantes aux couleurs vives.

— Chers Messieurs, vous pouvez dès maintenant vous désigner un chef d'équipe. Au signal, ce dernier devra ensuite se diriger en compagnie de ses coéquipiers vers le plus grand conifère de la forêt. Une fois sur place, il choisira l'un d'entre vous pour y grimper et y cueillir une première énigme à résoudre, qui se trouvera dans l'enveloppe correspondant à votre couleur.

Les garçons fixèrent tous le sol.

« … ensuite, vous n'aurez qu'à suivre les directives. Bonne chance à tous ! »

C'est ainsi que Rémi, Justin et Patrick se retrouvèrent dans le cercle bleu turquoise avec trois nouveaux: Nataniel, Mathis et le fameux Gus Lemay. Quant à Léo, il se retrouva aux côtés de B. B. (Benoît Berthier) et Lucas, ainsi que de Samuel, Jean-Baptiste et Tuang, dans le clan des vert pomme. Guillaume, Alexi et Olivier (trois anciens), formaient l'équipe des rouges avec les nouveaux, Denis, Alberto et Peppy (Jean-Philippe). En un battement d'ailes de mouche, les garçons occupaient leur place dans le cercle et attendaient impatiemment le signal de départ.

— 1-2-3, c'est parti ! lança le directeur.

Les clans se dispersèrent à un rythme effréné pour disparaître dans la forêt qui jouxtait la cour d'école.

L'équipe de Léo remporta la première victoire en élucidant l'énigme qui se trouvait dans la première enveloppe vert pomme.

***Énigme 1:* Le loup, la chèvre et le chou**

Un fermier doit transporter d'un bord de la rivière à l'autre, un loup, une chèvre et un chou. Son embarcation étant petite, il ne peut apporter avec lui qu'un animal ou un objet à la fois.

Cela lui pose un problème, puisqu'il ne peut en aucun temps laisser le loup seul avec la chèvre, car le loup la dévorerait, ni la chèvre seule avec le chou, car elle le mangerait.

Il réussit pourtant à transporter le loup, la chèvre et le chou de l'autre côté de la rivière. Comment a-t-il fait?

Lorsque vous aurez trouvé la réponse, vérifiez-la auprès de monsieur Zolan. S'il enfile un masque aux traits souriants, cela signifiera que vous êtes sur la bonne voie. S'il enfile un masque triste, vous devrez continuer de réfléchir. Ce sera ainsi tout au long de la course. Vos enseignants seront vos guides.

Dans le premier cas, rendez-vous à la deuxième station. Au sommet de la tour de bungee. Soyez prudents!

Une dizaine d'énigmes mathématiques leur furent ainsi proposées durant la journée. À travers celles-ci, les garçons mettaient au défi tous leurs talents, de leur cerveau en ébullition au plus petit muscle des orteils. Monsieur Chang, l'enseignant de mathématiques, adorait faire réfléchir ses élèves de cette façon. Quant à monsieur Bernard-Aristide, le spécialiste de l'activité physique, il se réjouissait de voir les gars grimper aux arbres et courir dans des labyrinthes de branchages construits par l'inépuisable Foinfoin durant la nuit précédente.

C'est lors de cette Chasse au Trésor Très Rocambolesque que Rémi, Justin et Patrick eurent l'occasion de découvrir Gus Lemay sous un angle plus positif jamais dévoilé jusque-là. En effet, en réfléchissant tout haut aux énigmes, Gus-la-terreur se démarqua par sa rapidité de réflexion et trouva bon nombre de réponses. Les trois anciens le félicitèrent et le rebaptisèrent « Gus-le-vainqueur ». L'ambiance était à l'harmonie dans cette équipe !

C'est aussi pendant cette course électrisante que se tissa une solide amitié entre les rouges, Guillaume, Olivier, Alexi, Denis, Alberto et Peppy.

Léo, pour sa part, apprenait à connaître davantage B. B., Lucas, Jean-Baptiste, Tuang et Samuel. Le pseudo-garçon avait craint de ne pas pouvoir calmer les plus excités (Jean-Baptiste et B. B., entre autres), mais, rapidement, il se rendit compte que ces traits de caractère les aidaient dans la poursuite des étapes. Il s'en réjouit. Léo aurait préféré se jumeler à Guillaume, mais la réussite de son équipe lui fit rapidement oublier sa déception.

La journée s'était déroulée sans anicroche à part une légère escarmouche entre Alexi et Guillaume, qui avait du mal à suivre le rythme de son ami impatient de trouver les réponses aux énigmes. L'intervention de monsieur Sylvain, l'enseignant de français, avait permis de régler le problème avant qu'il ne dégénère. Alexi s'empressa de s'excuser auprès de Guillaume.

— Je suis vraiment désolé, j'avais oublié que ta hanche te faisait encore souffrir.

— Ça va, je sais que tu aimes gagner, Alexi.

— Ouais, répondit ce dernier en rougissant. Et tu sais que je ne suis pas reconnu pour ma patience… Il m'arrive même de lever le ton sur mes poules pour qu'elles pondent plus vite !

— Et ça marche ? demanda Guillaume.

— Pas du tout ! s'exclama Alexi. Je dois plutôt leur chanter des berceuses ou leur faire des massages pour les aider à pondre… Ou ce qui semble fonctionner, c'est quand je leur parle en langage de poule ! Cot cot, cot cot cot !

Guillaume rit de bon cœur en voyant son ami imiter la démarche d'une poule. Alexi était impatient, mais les nombreuses allusions à ses animaux de la ferme amusaient toujours ses comparses. Surtout Guillaume.

Ce genre de discussion aurait aussi bien amusé Foinfoin s'il avait pu l'entendre. Mais le nain était bien trop occupé.

En cette huitième journée de classe, il travaillait d'arrache-pied. Il avait fini de consulter ses livres, et cette fois, il vaquait à ses expériences, en remplissant ses fioles d'huile d'amande douce, de « zimbille » et de « froidillure glacée », toujours dans le but de trouver le mélange parfait. À cela, il ajoutait au hasard quelques gouttes de « joie pure aux pommes » dans quelques millilitres d'« espoirus à la fraise ». Le tout agrémenté bien sûr de sa potion magique au citron…

Vers 14 h 30, tous les garçons s'étaient rassemblés dans la cour pour recevoir leur prix. L'équipe de Léo remporta la médaille d'or. Les autres se virent décerner un sac de bonbons et un certificat les félicitant de leur participation. Après la cérémonie, les équipes se ruèrent vers les vert pomme. Avec enthousiasme, les garçons formèrent un dense tapis humain sur lequel les gagnants furent soulevés. Léo, bercé par la vague, jubilait de bonheur, les deux mains plaquées sur la tête pour maintenir sa perruque en place. Toutefois, un cri nasillard retentissant fit sursauter la troupe qui se dispersa… ce qui eut pour effet de faire tomber les joyeux lurons sur le popotin.

— Aille, cria Léo, suivi de ses coéquipiers, B. B., Lucas, Jean-Baptiste, Tuang et Samuel.

— Eurêka ! Eurêka !

Les anciens furent heureux d'entendre la première manifestation de Foinfoin. Les nouveaux semblaient intrigués par cette voix bizarre qu'ils venaient d'entendre.

— C'est qui, lui ? s'étonna Denis.

— Quelqu'un qui s'est mis une pince à linge sur le nez ! fit Gus.

— Pas du tout, riposta Rémi. C'est Foinfoin !

— Foinfoin ? Pourquoi vous ne l'appelez pas « Coincoin », avec cette voix de canard ! plaisanta Nataniel.

Les garçons se bidonnèrent. (« Foinfoin aurait sûrement lui aussi apprécié la plaisanterie », pensa Rémi, en se tenant les côtes.)

— Tous les élèves de 6e en parlent, mais nous, on ne l'a jamais vu, dit Peppy, une fois que la petite troupe fut calmée.

— Ça viendra, assura monsieur Bernard-Aristide. Bon, je propose un concours de BOMBES ! ajouta-t-il en se dirigeant vers la piscine olympique. Celui qui fait la bombe la plus retentissante remportera une séance de tiraillage dans l'eau avec moi !

En moins de cinq minutes, les garçons avaient revêtu leur maillot de bain et se trouvaient déjà sur le bord de la piscine olympique, prêts à sauter.

Léo aurait aimé, lui aussi, plonger tête première dans la piscine remplie de gamins heureux et de jeux gonflables. Il adorait nager. Et comme il avait chaud après tous les efforts déployés avec son équipe ! Mais impossible bien sûr d'apparaître en maillot de bain une pièce à bretelles spaghetti (fuchsia, de surplus) devant tous ces gars, sans révéler son identité de fille. Et de toute façon, n'était-il pas inscrit sur l'étiquette de sa perruque de ne pas la laver ?

Encore vêtu de son jean et de son t-shirt, il s'assit sur un banc, devant l'unique vestiaire… de gars.

— Tu viens ? lui demanda monsieur Chang en passant devant lui.

— Non, je ne peux pas, fit Léo en pointant subtilement sa perruque.

— C'est vrai… Mais ne crois-tu pas qu'il serait temps de…

— Non, monsieur Chang. Je commence tout juste à me faire des amis et je ne crois pas qu'ils soient prêts à savoir qui…

La suite se perdit dans un murmure.

— Je comprends, murmura l'enseignant. Tu es le seul à savoir quel sera le meilleur moment.

Monsieur Chang tapota la main de Léo et se dirigea allègrement vers le grand plongeoir. Tous les regards se tournaient vers l'Asiatique à sa sortie de l'eau. En effet, son saut était digne des Jeux olympiques.

Alexi, abasourdi, questionna le pro des mathématiques :

— Sapristi ! Vous avez déjà été champion de plongeon ?

L'enseignant n'eut pas eu le temps de répondre, distrait par les cris qui s'élevaient du centre de la piscine :

— Alors, Léo, tu sautes ? lança Peppy.

— Non !

— *Chicken, chicken,* scanda B. B. en ricanant.

Rémi l'aspergea pour le faire taire, puis il lança :

— Viens quand même, Léo, l'eau est trop bonne !

— Non !

— Tu ne sais pas nager ou quoi ? hurla Gus.

Ne sachant pas quoi répondre, le pseudo-garçon déserta les lieux, oubliant son sac à côté du banc. Quelques minutes plus tard, Guillaume le rejoignit à la bibliothèque. Il avait tôt fait de remarquer que Léo appréciait ce lieu calme et reposant… Et il savait qu'il le retrouverait là.

— Ne t'en fais pas, Léo, dit-il. J'ai appris à nager en 4e année seulement et j'ai dû réapprendre après mon accident.

— Ah…

— J'ai longtemps eu peur de l'eau alors je peux facilement comprendre que…

— Je n'ai pas peur de l'eau, l'interrompit Léo, insulté. Et je sais nager. Très bien même !

— Pourquoi tu ne viens pas, alors ?

— Parce que je n'avais pas envie de me baigner, bon ! Maintenant, laisse-moi tranquille !

Guillaume avait déjà compris qu'il ne fallait pas insister avec son nouvel ami…

— J'allais oublier, Léo. Voilà ton sac. Tu l'avais laissé sur le bord de…

Léo agrippa violemment le sac à dos.

— Aille, tu me fais mal ! fit Guillaume, stupéfait par cette vive réaction.

— Rends-le-moi tout de suite !

— Du calme, je te le donne.

Son sac sur le dos, Léo se renfrogna sur son fauteuil. Gentiment, Guillaume murmura :

— Tu y tiens beaucoup à ton sac…

Léo hocha la tête sans desserrer les dents. Prudemment, Guillaume l'interrogea :

— C'est à cause de ce qu'il y a dedans, n'est-ce pas?

Stupéfait, le pseudo-garçon fixa longuement son ami avant de se lever. Mais Guillaume le retint par le bras:

— Ne pars pas comme ça. Je sais ce qu'il y a dans ton sac... Des patins blancs. On peut en parler si tu veux...

Léo s'arracha de l'emprise de Guillaume et détala à toute vitesse hors de la bibliothèque.

Guillaume aurait bien voulu lui emboîter le pas. Cependant, il savait qu'il n'arriverait pas à retrouver son ami dans le labyrinthe des corridors de l'école. Il demeura un long moment à la bibliothèque, oubliant même de se gratter les cheveux tellement il réfléchissait intensément.

« Pourquoi? Mais pourquoi Léo refuse de se baigner alors qu'il sait nager? »

Guillaume faisait défiler dans sa tête une foule d'images... Un peu comme un film de suspense dont il devait trouver la clé de l'énigme.

« Et pourquoi ne va-t-il jamais à la salle de bain en même temps que nous? Et pourquoi porte-t-il les mêmes vêtements un jour sur deux? Pourquoi il ne raconte rien sur sa famille ? Et ces traits fins… cette coupe de cheveux bizarre… et ces patins blancs ? Des patins de fille… »

Soudainement, tout s'éclaira pour Guillaume.

— Une fille !!! Léo est une fille ! dit-il tout bas.

Quelques secondes plus tard, il escaladait presque aussi vite qu'avant son accident les escaliers qui menaient au sommet de la tour sud-ouest, là où se trouvait la grotte. Avant même d'arriver à la dernière marche, il entendit une voix nasillarde :

— Eh bien, si ce n'est pas mon cher Guillaume…

Foinfoin avait deviné qui arrivait ! Pour entrer dans le bureau du nain, Guillaume pencha la tête afin de ne pas se la cogner sur le cadrage de porte.

— Tu as donc percé le mystère de notre « nouveau » ? fit Foinfoin, qui était installé devant sa table débordante de fioles multicolores.

— Comment le sais-tu, Foinfoin ?

— Mon petit doigt me dit tout, tu le sais bien, lança le minuscule bonhomme en relevant son auriculaire.

— Je ne comprends plus rien, souffla Guillaume, encore sous le choc de ce qu'il venait de découvrir. Il y a une fille à l'*École des Gars* !

— Viens là, je vais t'expliquer.

Et Foinfoin lui résuma l'histoire de Léo ou plutôt, de Léonie :

— L'an dernier, Léonie a perdu son grand-frère. Rien n'allait plus à son école. On l'a mise à la porte à cause de son comportement… Pour être plus précis, quelques-uns de ses mauvais coups n'ont pas plu à sa directrice…

— Pauvre elle !

— Oui, pauvre Léonie. Nous avons décidé de l'accueillir ici, pensant qu'elle y trouverait réconfort et joie de vivre.

— Mais c'est une fille, Foinfoin, elle ne devrait pas être là, fit remarquer Guillaume d'un ton désolé.

— Rien dans les règlements de l'*École des Gars* ne stipule que les filles ne sont pas acceptées, annonça l'homme miniature en faisant un clin d'œil malicieux. Mais on dirait bien que seule la mère de Léonie les a lus en entier…

— Mais pourquoi Léo… euh, Léonie, se déguise-t-elle en garçon, alors ?

— Pour le moment, elle est encore gênée d'être la seule fille parmi 58 gars, répondit Foinfoin. Alors, nous lui avons proposé de se déguiser, et cela a semblé lui plaire.

— Mais, elle ne pourra pas passer l'année ainsi, non?

— C'est vrai, Guillaume. Quand Léonie se sentira plus en confiance auprès de nous, le chat sortira du sac. Qu'en penses-tu?

— Je ne sais pas. Peut-être bien.

— Te sens-tu capable de garder ce lourd secret en attendant qu'elle se décide à le dévoiler?

— Oui, bien sûr. Mais je suis triste pour elle. Ce ne doit pas être facile.

— D'où l'importance de la respecter. Et ça, je sais que tu peux le faire.

— Évidemment.

— N'aie pas peur, Guillaume. Tout ira bien pour Léonie. Je suis en train de travailler une recette qui…

— Qui quoi?

— Tu peux garder un autre secret?

— Oui, si je peux en garder un, je peux en garder deux!

— Parfait.

Foinfoin confia la nature de ses expérimentations dans l'oreille d'un Guillaume plus qu'attentif.

— Tu es vraiment génial, Foinfoin !

— Je sais, répondit le nain, flatté.

Guillaume s'approchait de la porte lorsque Foinfoin ajouta :

— Si tous ces secrets deviennent trop lourds, tu n'as qu'à venir me voir, on en discutera.

— D'accord. Merci, Foinfoin. Au fait, as-tu l'intention de sortir bientôt de ta tanière ?

— Oui, mes expériences sont sur la bonne voie. Je me présenterai demain aux nouveaux et je serai plus présent pour vous, mes chers anciens !

— Cool ! Ça commençait à jaser sur ton absence dans la cour d'école. J'ai bien hâte de voir la réaction des 5e en te voyant. À demain !

CHAPITRE 8

Dans l'autobus, le lendemain matin, Léo avait volontairement placé son sac à dos à sa droite de façon à meubler l'espace qui s'y trouvait. Pour Guillaume, le message était clair. Il s'était donc installé au fond.

Gus, qui embarquait le dernier, repéra Guillaume installé en solo dans le véhicule bouillonnant de rires, de cris et de jacassements. Guillaume était tellement plongé dans ses pensées, le regard rivé sur Léo, quelques sièges devant lui, qu'il ne salua même pas le garçon vêtu de son habituel blouson en cuir qui se laissait tomber lourdement à côté de lui.

— Arrête de regarder Léo comme ça, il va croire que tu as un œil sur lui, ricana Gus, un sourire en coin.

Guillaume sursauta en entendant cette voix moqueuse qui grinçait à son oreille.

— Ce n'est pas lui que je regarde, c'est le chauffeur, protesta-t-il en rougissant.

— Tu t'intéresses aux manœuvres d'un conducteur d'autobus maintenant ? demanda Gus, étonné.

— Heu, oui, j'aimerais bien conduire un autobus plus tard, baragouina Guillaume avant de se réfugier dans un silence que Gus ne réussit pas à briser, malgré ses pitreries.

Sur un mur de la tour sud-est qui abritait le cours d'arts plastiques, les élèves de 5e et 6e années, regroupés pour l'occasion, déployaient leurs talents d'artistes en réalisant une superbe fresque sur le thème de la paix dans le monde.

On y voyait des chars d'assaut et des soldats barrés d'immenses X rouges, un cercle d'enfants de toutes les cultures qui se tenaient la main. Tout autour de cette chaîne humaine, une mer portait à bout de vagues de majestueux voiliers.

On y lisait des proverbes pacifiques, sélectionnés par Justin, Gus, Rémi et Peppy, plus doués pour la recherche sur Internet que pour la peinture à la gouache.

La paix est une création continue. (Raymond Poincaré)
La paix n'a pas de frontières. (Itzhak Rabin)
Nous ne voulons pas de richesses. Nous voulons la paix et l'amour. (Sagesse indienne)

Des animaux terrestres, volants ou aquatiques tiraient à leurs queues des symboles de paix, de respect et de partage. Léo agrémentait le tout de quelques fleurs aux couleurs pastel.

— Très joli, lui dit gentiment Guillaume.

Il ne reçut qu'un soupir en guise de réponse.

— Il nous faudrait un autre proverbe, s'exclama Peppy, mais il fut interrompu par une voix nasillarde.

— Wow ! elle est superbe, votre murale !

Et un homme miniature apparut dans la classe.

— Foinfoin !

Léo, tout comme Gus, Peppy, B. B., Nataniel, Denis et les autres, sursauta en apercevant ce drôle de personnage tandis que les 6ᵉ l'applaudissaient avec enthousiasme.

Comme l'année précédente, le nain se présenta en quelques mots :

— On m'appelle Foinfoin. Je suis très heureux de revoir mes chers amis de 6e année. Et tout aussi heureux de faire la connaissance des nouveaux de 5e année. Je serai toujours là pour vous. Pour vous écouter, vous faire sourire ou simplement vous offrir un gobelet de ma boisson au citron.

— Sa potion magique, glissa Guillaume à l'oreille de Léo. C'est trop bon ! Et ça réconforte…

Léo haussa les épaules sans déclouer le bec, observant Foinfoin qui clopinait vers la porte, après avoir distribué un origami de forme différente à chacun des élèves.

Dès que le nain eut disparu, monsieur Zolan s'empressa d'émettre la consigne suivante :

— Vous pouvez maintenant déplier délicatement votre origami. Après avoir apposé votre signature sur la ligne pointillée, vous le déposerez sur mon bureau.

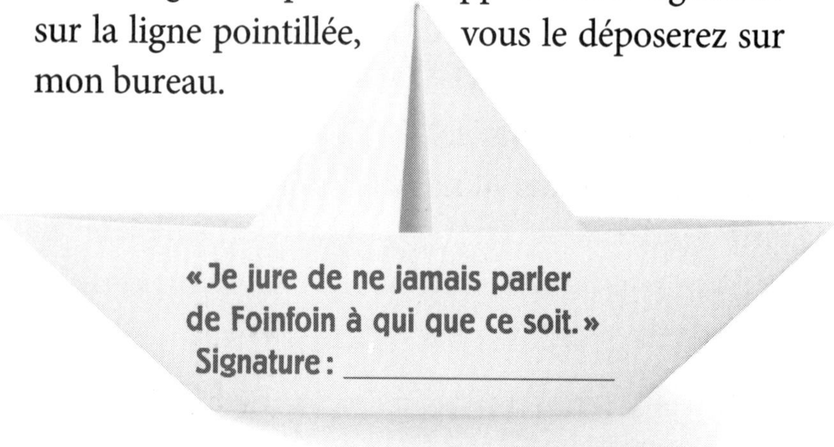

« Je jure de ne jamais parler de Foinfoin à qui que ce soit. »
Signature : ____________________

En moins de deux, tous avaient remis leur billet dûment signé en guise de promesse de ne jamais parler de Foinfoin.

Et Peppy, lui, annonça :

— Dans mon origami en forme de colombe, il y avait un proverbe… « *Ce n'est qu'en trouvant la paix en soi, que l'on peut vivre en paix avec les autres.* » C'est étrange, non ? Il nous manquait justement un proverbe pour compléter notre murale.

Encore abasourdis par cette visite impromptue, les garçons se contentèrent de quelques « hum, hum »…

— Alors comment as-tu trouvé Foinfoin ? demanda Guillaume à Léo.

Même s'il brûlait d'avouer qu'il l'avait trouvé fascinant, le pseudo-garçon haussa simplement les épaules. Et au cours de la journée, et des suivantes, il refusa d'adresser la parole à Guillaume. Malgré quelques tentatives de la part de ce dernier et des autres garçons, celui que tout le monde appelait « Léo » demeurait muet comme une carpe.

Une semaine plus tard, une superbe journée d'été indien avait donné l'idée d'une croisière en bateau-mouche sur le Lac Héron, situé à quelques kilomètres de l'École.

À 13 h 45, après avoir révisé les verbes « embarquer », « se promener », « découvrir », « prendre » et « pleuvoir » à tous les temps et calculé la superficie du lac, la vitesse moyenne du bateau-mouche ainsi que le moment approximatif de son arrivée en fonction de la vitesse et de la superficie du lac, tout le monde était fin prêt pour l'excursion.

Pour une énième fois, Guillaume tenta de renouer avec Léo qui n'avait pas eu le choix de s'asseoir à côté de lui dans l'autobus :

— Je suis désolé pour l'autre jour … je ne savais pas que…

— Ne me parle plus, coupa Léo.

— Je ne savais pas que…

— Arrête, je te dis ! Je n'ai pas envie de parler avec toi.

Malgré la splendeur du paysage, Guillaume trouvait le trajet long. Comme il aurait aimé discuter avec son nouvel ami ou plutôt, sa nouvelle amie…

Attroupés devant l'immense étendue scintillante, les jeunes virent avec déception le bateau-mouche disparaître au loin.

— Il aurait fallu réserver, je crois, dit monsieur Sylvain l'air déconfit.

— On retourne à l'École alors ? s'inquiéta Rémi qui avait hurlé de joie à l'annonce de la promenade sur le lac.

— Pas question ! s'exclama monsieur Sylvain, il fait beaucoup trop chaud pour me lancer dans mes règles de grammaire.

— Et moi, dans mes formules mathématiques, continua monsieur Chang.

— Pour ma part, je risquerais davantage de faire des dégâts avec mon acrylique avec cette chaleur intense, dit monsieur Zolan.

— Eh bien, même moi, je n'ai pas envie de retourner à mon pouf, conclut monsieur Firmin.

— Votre pouf ?! s'exclamèrent les garçons.

— C'est donc tout ce que vous faites de vos journées, vous asseoir sur un pouf ? rigola Alexi.

— Bien sûr, répondit Firmin Dussault avec amusement. Que crois-tu qu'un directeur d'école fabrique dans un bureau toute la journée ?

Les jeunes savaient bien que Monsieur le Directeur blaguait.

— Voilà donc ce que nous allons faire, proposa Firmin Dussault. Vous voyez les canots rouges, bleus et jaunes là-bas ?

— Oui, oui, du canot ! Quelle bonne idée, s'écria Peppy.

— Alors, Peppy, dit le directeur, vous êtes cinquante-neuf, nous sommes six adultes. Si nous pouvons embarquer trois personnes, maximum, par canot, de combien d'embarcations aurons-nous besoin ?

— Vingt-deux ! Vingt-deux ! Vingt et un canots à trois personnes et un 22e canot à deux personnes, précisa Peppy, fièrement.

— Excellent !

Placés à la queue leu leu, les garçons grimpèrent à tour de rôle dans les embarcations. Léo prit place au milieu d'un canot d'un rouge flamboyant. À son grand désespoir, Guillaume s'installa à l'avant. Comme Gus faisait le rang derrière Léo, il s'assit sur le 3e banc, l'air inquiet. Bien que Gus fût le roi des plongeons, il n'aimait pas se retrouver sur de grandes surfaces d'eau. Gus ne craignait pas les hauteurs, mais il ne pouvait pas en dire autant des profondeurs. La noirceur du lac indiquait clairement que plusieurs mètres séparaient la surface du fond…

En se retournant pour déposer son sac à dos à côté de lui, Léo remarqua la nervosité du dur à cuire.

Au moment où Firmin Dussault donnait le signal de départ, Gus grommela :

— J'aime pas ça, ça tremble, ça gigote…

— Tiens, prends ma place au milieu, proposa calmement Léo. C'est plus stable.

Puis, il héla l'embarcation juste à côté :

— Alexi, remplace-moi ici ! Gus préfère être avec toi !

À la fois vexé par les paroles de Léo, mais bien rassuré par la présence d'Alexi, le plus grand (et aux dires de tous, le plus courageux de l'École), Gus avança avec précaution au centre du bateau. Guillaume, pour sa part, baissa les épaules. Il savait bien que Léo avait profité de l'occasion pour l'éviter, une fois de plus.

— Gus, dit Firmin Dussault depuis un bateau jaune poussin, c'est toi qui donnes le coup d'envoi, ça te va ?

— Oui, répondit le garçon, d'un ton mal assuré. *Go,* on y va..., lança-t-il après un interminable soupir.

Les vingt-deux bateaux gagnèrent le large sous les regards émerveillés de quelques promeneurs qui longeaient le lac. La flotte multicolore, s'éparpillant sur l'étendue étincelante, leur offrait un fabuleux spectacle.

Bien calé au milieu du canot, Gus n'avait plus peur, mais il se sentait honteux d'avoir montré son appréhension. Par surcroît, il ressentit vivement le besoin de faire son dur à cuire. *(Chassez le naturel, il revient au galop,* aurait probablement cité Foinfoin). Gus adopta un comportement dérangeant pour ses deux coéquipiers.

Il riait à gorge déployée des manœuvres manquées de Guillaume. Il se prit même à ridiculiser (dans son dos) ses mouvements ralentis par sa blessure antérieure.

De loin, Léo observait la scène qui l'attristait, car, au fond, il aimait bien Guillaume. Après tout, Guillaume était celui qui lui avait donné envie de rester à l'*École des Gars,* avant de réaliser que ce dernier avait découvert son secret, bien entendu.

L'embarcation de Guillaume, Gus et Alexi commençait à prendre du retard sur les autres. Et cela, malgré les coups de pagaie énergiques d'Alexi et les efforts de Guillaume pour suivre la cadence.

— Tu fais semblant de ramer ou quoi ? se moqua Gus. On ne voit même plus les autres. Mais qu'est-ce que tu attends ? Active le chicot !

À l'arrière, Alexi fulminait de voir Gus insulter son ami de la sorte. Il prenait de grandes respirations pour éviter d'exploser. Agacé par ce passager méprisant, Guillaume se frotta la tête.

— Hey, le « couetté », c'est une rame que tu as entre les mains, pas un peigne. Ha-ha-ha !

Guillaume, qui, jusque-là, avait réussi à garder son calme, n'en pouvait plus de se faire insulter quant à ses capacités réduites. Un élan d'orgueil lui fit perdre la raison.

— C'est par respect pour ta crainte que je vais à ce rythme, espèce de trouillard. Mais si c'est comme ça, tiens !

Et Guillaume, après avoir solidement agrippé les flancs du canot, se mit à agiter l'arrière-train dans tous les sens afin de faire balloter l'embarcation. À l'autre extrémité, Alexi ne put s'empêcher de rire en voyant le visage blanc de peur de Gus.

Guillaume finit par s'arrêter. Hors de lui, Gus voulut se lever, le poing levé pour asséner un coup à Guillaume, qui reprit aussitôt son petit manège, aidé cette fois d'Alexi. Pas question pour ce dernier de laisser son ami se faire attaquer !

Le ballottage était si intense que Gus n'eut même pas le temps de se lever. Les trois garçons se retrouvèrent à l'eau dans un grand PLOUF.

Le premier choc passé, Alexi et Guillaume unirent leurs efforts pour remonter à bord du bateau, mais sans succès. Gus, flottant dans son gilet de sauvetage à quelques mètres, hurlait à pleins poumons....

Les autres canots revenaient à grande vitesse dans leur direction. Au même moment, Guillaume aperçut Gus qui s'accrochait à quelque chose.

« Le sac de Léo, pensa Guillaume. Il ne doit surtout pas découvrir ce qu'il contient. »

Dans un vrombissement de splash et de sploush, le garçon fonça sur Gus et lui arracha le sac des mains. Une bousculade dans l'eau s'ensuivit, mais fut vite interrompue par le ton ferme du directeur. En un tour de main, ce dernier confisqua le sac. Puis, il aida les trois gamins à remonter dans leur canot. Une minuscule petite île au centre du lac Héron leur avait permis cette manœuvre laborieuse.

Assis sur leur banc respectif, les garçons détrempés balbutiaient des excuses, mais monsieur Firmin, pour une rare fois dans sa carrière, manifesta son mécontentement :

— Je n'ai pas de félicitations à vous faire. Tâchez de vous entendre à présent, le lac n'est pas le lieu idéal pour se chamailler. Cris et bousculades ne riment pas avec nature et ballade en canot.

Il déposa ensuite le sac à dos sur les genoux de Gus, croyant que l'objet appartenait à ce dernier.

Le directeur, accompagné de Rémi et Justin, s'éloignait déjà à bord du canot jaune poussin. Guillaume était nerveux. Il devait absolument trouver un moyen de récupérer le sac de Léo avant que Gus ait l'idée de l'ouvrir.

Bingo !

Une idée venait de lui traverser l'esprit comme la lumière d'une ampoule traverse une chambre noire.

— Gus, tu peux me donner le sac, je commence à sentir la chaleur intense du soleil sur ma peau et il me semble que Léo traîne toujours sa crème solaire.

Gus fit mine de lui remettre. « Fiou », se dit Guillaume.

— Attends donc un peu..., fit Gus. Comme il est lourd ce sac !

— Pas grave, donne-le-moi. Mes bras commencent à rougir.

— Pas si vite, toi, je suis bien curieux de voir ce qu'il y a de si lourd là-dedans.

Gus ouvrit alors le sac d'un coup sec. Au même moment, Guillaume laissa tomber sa rame et se leva pour tenter de l'en empêcher, mais... trop tard. Guillaume flottait déjà dans l'eau quand, Gus, fier de son coup, étalait au grand jour la paire de patins blancs.

— Remets ça tout de suite dans le sac ! hurla le pauvre Guillaume.

Gus n'en fit rien. Au contraire... Il tendit les patins étincelants devant lui et cria, à l'attention des vingt et un bateaux :

— Eh, les gars ! Regardez ça ! Des patins de fille ! Léo est un imposteur ! Léo est une fille !

Les garçons, stupéfaits, se tournèrent tous vers l'embarcation où se tenait Léo... Un interminable silence s'installa. Ce n'était pas une mouche qu'on entendait voler, mais le clapotis léger des vagues sur les canots. Soudain, une petite voix brisée s'éleva :

— Pourquoi m'as-tu fait ça, Guillaume ? Tu savais ce qu'il y avait dans mon sac ! Tu ne m'as pas protégée... Et tu prétendais être mon ami ?

— J'ai essayé, Léonie, mais Gus a été trop vite...

Guillaume, en tentant de s'expliquer, avala une tasse et s'étouffa.

PLOUF !

Léo… euh, Léonie, après avoir retiré sa veste de sauvetage, venait de sauter tête première dans le lac. Emportée par sa colère et son chagrin, elle disparut sous l'eau pendant un temps qui sembla interminable aux élèves et aux enseignants. Lorsque sa tête réapparut dans l'eau paisible du lac Héron, elle était déjà à plusieurs mètres des canots.

Dès qu'il la repéra, monsieur Zolan plongea pour tenter de la rattraper et Firmin Dussault rama de toutes ses forces avec ses coéquipiers (Rémi et Justin). Mais malgré leurs efforts, la fuyarde atteignit la rive bien avant eux.

Guillaume, pataugeant toujours dans l'eau, la vit secouer de loin sa longue chevelure avant de filer comme une flèche vers la forêt. Il aurait voulu lui crier de s'arrêter, mais il se contenta de se gratter le front, le menton, puis l'arrière de la tête. Son visage arrondi avait l'air encore plus joufflu avec sa veste de sauvetage qui lui remontait jusqu'aux joues. Au moment où il perdait de vue celle qu'il aurait voulu protéger, il aperçut, flottant à quelques centimètres de lui, une touffe de poils courts. La perruque de Léonie… Une larme que personne ne vit coula sur sa joue. Il sentit un grand vide envahir son cœur, lorsque la forêt sombre et dense engloutit la jeune fille.

Guillaume, inconsolable, dut être conduit de toute urgence à la grotte. Enveloppé dans la courtepointe rouge de Foinfoin, il raconta les événements à ce dernier. Le nain l'écouta sans dire un mot. Lorsque Guillaume se tut, il lui tendit simplement une tasse remplie d'un liquide brûlant (sa fameuse potion magique !) que le garçon sirota tout en contemplant le décor qui l'entourait.

Les fioles qui emplissaient la pièce laissaient s'échapper des vapeurs violacées qui contrastaient avec les objets amérindiens posés un peu partout dans la grotte. Des statuettes, un tambour (décoré d'une panthère et encerclé d'un cadre de bois orné de symboles et de plumes), une flûte amérindienne en bois de cèdre rouge, un sifflet, un éventail de plumes, un masque, un mandella (sorte de bouclier symbolique fait de peaux et de plumes)... Sur un des murs, la photo d'un grand chef amérindien et d'un petit garçon au regard profond détourna l'attention de Guillaume du drame qu'il venait de vivre.

— Tu as changé ta décoration, Foinfoin ?

— En effet ! Ça fait un peu changement, non ?

— Oui, c'est beau. On dirait que ça sort tout droit d'un conte amérindien…

Foinfoin sourit. Comme par magie, Guillaume se sentit soudain beaucoup mieux.

— Je dois y aller maintenant, l'autobus doit être arrivé. Merci, Foinfoin.

— Merci pour quoi ? dit le petit homme, je n'ai rien fait.

— Justement. C'est tout ce dont j'avais besoin en ce moment.

— Ne t'inquiète pas, on la retrouvera…, ajouta le nain, en tourniquant sur lui-même. Tu sens ces arômes, Guillaume ? Et tu vois ces fumées qui se dégagent de mes fioles ?

Le garçon hocha la tête, un sourire sur les lèvres.

— Oui, Foinfoin, je me rappelle… Tout ça, c'est pour Léonie !

CHAPITRE 9

Une fouille sans précédent

Messieurs Firmin, Zolan, Chang, Sylvain, Bernard-Aristide et Brandon parcoururent la forêt toute la soirée et toute la nuit. Armés de leurs lampes de poches et de leurs sifflets, ils avaient bon espoir que ces recherches nocturnes se clôtureraient par la découverte de Léonie, saine et sauve. Malheureusement, à 5 h 30 du matin, alors que le soleil commençait à darder ses premiers rayons, aucune jeune fille n'avait encore été retrouvée.

Les enseignants regagnèrent l'École, épuisés. Monsieur Firmin s'empressa de contacter les autorités de la région afin de signaler la disparition de l'enfant.

Rassuré par l'agent qui avait reçu l'appel, le directeur se préparait à accueillir la troupe de garçons qui ne tarderaient pas se pointer à bord de l'autobus jaune, quand soudain il remarqua un post-it sur son bureau.

Réunion d'urgence

Où : Au gymnase

Quand : À 6 h 45

Qui : Tout le personnel enseignant de l'École, et vous, mon cher directeur !

Foinfoin

Il était déjà 6 h 43, alors Firmin Dussault se précipita vers le gymnase. La grande salle, habituellement impeccablement rangée, ressemblait à un champ de bataille, avec des tas d'objets posés un peu partout.

— Mais Foinfoin, qu'est-ce que ce capharnaüm ? fit le directeur sur un ton un peu découragé.

Le petit homme ajusta ses lunettes sur son nez en forme de gros radis, sortit un long papier de sa poche et lut :

- 65 sacs de couchage
- 65 gourdes remplies d'eau
- 30 lampes de poche
- 65 sifflets
- Des repas déshydratés et des spaghettis
- 3 trousses de premiers soins
- 12 tentes
- 66 imperméables (un pour Léonie)
- De la vaisselle de camping
- 4 paquets d'allumettes et quelques briquets
- Des vêtements chauds et des couvertures
- Des sacs de plastique pour la nourriture
- Un sac à ordures en plastique orange
- 268 collations à haute teneur énergétique
- 7 canifs
- Quelques carrés de chocolat
- Une toile de 3 mètres par 3 mètres
- Une carte géographique et une boussole
- Du papier hygiénique
- Un réflecteur ou un petit miroir (pour lancer un signal)
- Une trousse de premiers soins
- 65 sacs à dos
- ET 58 pyjamas...

— Voilà, tout est fin prêt pour que nos cinquante-huit gars participent à une fouille sans précédent en forêt ! conclut Foinfoin. Leurs parents ont été avertis et les gars ont en main leur autorisation parentale signée.

— Déjà ? balbutia Firmin Dussault, abasourdi par l'efficacité de son fidèle collaborateur.

— Je sais que vous êtes épuisés, mes chers Messieurs, reprit Foinfoin. Je vous ai préparé ce qu'il faut dans la maisonnette en pierres pour que vous repreniez vos forces en un clin d'œil. Pendant ce temps, j'accueillerai nos élèves. Dans une heure et demie, rejoignez-nous dans la cour. Il nous appartient à nous, plus qu'à quiconque, de chercher cette jeune fille… et surtout, de la TROUVER ! Maintenant, allez faire le plein d'énergie. C'est un ordre !

Obéissant au bonhomme miniature, les hommes se dirigèrent vers la maisonnette regroupant les 1001 artefacts de Foinfoin. À l'intérieur, il y avait beaucoup d'objets aussi étranges que variés (des artefacts de pierres, un panier d'écorce de bouleau, des poteries, des masques amérindiens, une bicyclette d'enfant, six hamacs), mais les enseignants ne perdirent pas une seconde à les contempler. Chacun but aussitôt la tasse remplie de boisson chaude au citron qui l'attendait posée sur un gros tronçon de bois à hauteur d'appui. Les enseignants et le directeur s'étendirent ensuite sur les hamacs, pour une brève sieste bien méritée.

Une heure et demie plus tard, tous les membres de l'École s'étaient regroupés dans la cour. Tous, plus… une visiteuse.

— Bonjour, je m'appelle Lucie Cousineau, je suis la mère de Léonie.

« Comme elle ressemble à sa fille, la maman de Léonie », pensa Guillaume…

— … D'abord, je tiens à vous remercier…

Les traits tirés, le visage anxieux, Lucie s'interrompit, la gorge nouée par les sanglots. Elle était émue par ce rassemblement qui n'avait qu'un seul et unique but, retrouver sa fille.

Sensible à son émotion, Firmin Dussault s'approcha et déposa sa main sur l'épaule sautillante de Lucie. Il lui glissa à l'oreille quelques paroles apaisantes.

Le directeur énonça ensuite les principales règles à suivre pour les heures, peut-être même les jours à venir :

- En aucun cas, vous ne vous éloignez du groupe ;
- Vous demeurez toujours accompagné d'au moins un comparse, on appelle ça de la surveillance mutuelle ;
- Vous ne vous aventurez pas trop près des cours d'eau ;
- Vous demeurez attentifs au moindre signe, au moindre bruit ;
- Vous attendez la permission avant de boire l'eau de votre gourde (nos provisions sont rationnées).

Puis, il enchaîna :

— Des questions ?

— Oui, dit Justin, quelqu'un se rappelle de la tenue vestimentaire de Léo… euh, de Léonie ?

Guillaume se précipita pour répondre.

— Elle portait un pantalon court noir, un peu délavé, un t-shirt Spiderman, un chandail et des chaussettes rouges. Des souliers de course blancs et gris avec une ligne bleue sur la semelle. Elle portait aussi une montre à aiguilles avec un bracelet en cuir tressé brun foncé. J'ai remarqué qu'elle avait toujours un foulard autour de son cou... Je crois qu'elle tentait de dissimuler une tache de naissance.

Tous les garçons furent ébahis par la précision des observations de Guillaume. Et Lucie reconnut celui qui avait tant fait rire sa fille à l'infirmerie de l'école.

« Quel charmant garçon », pensa-t-elle, les yeux remplis de larmes.

Foinfoin, de son bureau, observait le groupe qui s'éloignait maintenant vers l'autobus. Quelques gars remarquèrent sa silhouette derrière sa fenêtre en forme de hublot, et aussi, la fumée bleue qui s'échappait du sommet de la tour sud-ouest.

— Regarde, Rémi, on dirait des formes! s'exclama Guillaume.

En effet, à travers les émanations bleutées se profilaient des formes de plus en plus précises.

— Ce sont des lettres! s'émerveilla Justin.

Et Alexi lut à haute voix le message d'encouragement que Foinfoin leur adressait :

« Je suis de tout cœur avec vous, les gars ! »

CHAPITRE 10

Une fille débrouillarde

La course folle de Léonie en pleine forêt n'avait pas duré longtemps. Ses battements de cœur étaient si rapides qu'elle dût ralentir sa cadence au bout de quelques minutes. Le vent qui se faufilait entre les branches avait tôt fait de la rafraîchir, ce qui l'incita à penser à sa première mission :

« Trouver un coin ensoleillé pour sécher mes vêtements mouillés. »

À la recherche de ce carré de soleil, Léonie s'était laissée aller à quelques pensées sombres. D'abord, il n'était absolument plus question pour elle de rebrousser chemin et de retourner à l'École. « Un endroit où on se moque de moi, où je n'ai même pas d'amis, avec des gars tous plus débiles les uns que les autres. Ouais, le seul garçon qui n'était pas stupide, c'était Alexandre ! se disait-elle. De toute façon, est-ce que je peux faire marche arrière ? Sans boussole et en pleine forêt ! Non. Pas question. »

Sur ces quelques constats, elle aperçut une petite clairière débordante de lumière. Comble du bonheur, un ruisseau aux eaux fraîches, semblables à de minuscules diamants étincelants, y coulait gaiement. La jeune fille s'accroupit telle une Amérindienne et recueillit au creux de ses mains quelques gouttes d'eau. Jamais une eau ne lui avait semblé si désaltérante.

— Ici sera parfait !

De grosses roches lui permirent d'étendre ses vêtements qui, grâce au vent et au soleil, ses fidèles coéquipiers, séchèrent rapidement.

Mission numéro deux : construire un abri.

Se remémorant les enseignements de son frère scout, elle se mit à la recherche de branches d'épinette, de cèdre et de sapin. Elle devait absolument avoir terminé avant la tombée de la nuit.

— Une branche d'épinette par-ci, et hop, une branche de sapin par-là. Un peu de feuilles ici et un peu d'écorce là.

La construction n'était pas simple à exécuter. Léonie eut du mal à solidifier le tout. En travaillant, elle se rappelait les récits palpitants de son frère :

« … et là, nous avons monté notre tente et accroché nos provisions très haut dans l'arbre… ensuite, nous avons cherché des branches… et que dire de ce feu de camp qui ressemblait davantage à une maigrichonne flamme de camp… »

Alexandre adorait raconter ses séjours en forêt. Il y ajoutait volontiers quelques éléments rigolos pour faire rire sa frangine.

« … Si tu avais vu l'expression de mon grand ami Mathieu lorsque nous avons cru voir un ours… et si tu avais entendu Sébastien lorsqu'on lui a fait croire que le chant du huard était en réalité le cri d'un fantôme, un coureur des bois du 17e siècle. »

Après avoir finalisé sa construction avec une longue branche d'épinette, Léonie recula pour admirer son œuvre.

— Voilà, ce sera très bien. Tu serais fier de moi, Alexandre ! dit-elle tout haut.

C'est à ce moment précis qu'elle se remémora le leitmotiv de son frère :

« Survivre est une question d'attitude positive envers mon entourage et moi-même ! »

L'index pointé vers le ciel, elle répéta cette phrase plusieurs fois.

Ensuite, assise sur une souche, elle repensa aux règles de survie que lui avait enseignées Alexandre lors de leur dernier séjour en camping.

Elle résuma à haute voix :

S pour Sonder
U pour Utiliser adéquatement son énergie
R pour Retrouver ton point de départ
V pour Vaincre la peur et la panique
I pour Improviser
V pour Valoriser la vie
R pour Réagir comme les Amérindiens
E pour Étudier les techniques de base

« Mission numéro trois : faire son lit », se dit-elle en se levant pour se mettre à la recherche de choses moelleuses pour fabriquer un matelas.

Étancher sa soif était une chose. Bâtir un abri et y installer une couche de mousse, de feuilles mortes et de lichens, une autre. Mais dormir seule en forêt, quel défi ! Léonie, recroquevillée sur son lit de fortune, tendait l'oreille.

« Tiens, ça, c'est le chant d'un huard, aucun danger avec cet oiseau », se dit-elle pour se convaincre. Ou encore, « ce craquement est trop léger pour être celui d'un renard, ce doit être un suisse ou un lièvre, pas très menaçant ».

Des pas plus lourds et des craquements de branches la firent trembler de tout son corps. S'agissait-il d'un cerf de Virginie, d'un orignal ou pire, d'un ours noir ?

Tous ces bruits mystérieux troublaient la quiétude des lieux. À chaque fois, la jeune fille se questionnait : « était-ce le hululement du hibou, le chuintement d'une chouette ou le hurlement d'un loup ? »

Ce n'est que vers 23 h 00 que Léonie réussit sa quatrième et dernière mission de la journée : dormir.

Le lendemain matin, la jeune campeuse fut tirée de son sommeil par un petit suisse qui lui chatouillait le bout des pieds. Après quelques étirements, Léonie sortit de sa tanière, les cheveux en bataille. En aspergeant son visage avec l'eau glacée du ruisseau, Léonie sentit son cœur se serrer. Malgré la beauté de sa petite oasis et la chaleur de son abri, la présence de sa mère lui manquait terriblement. « Je me demande bien ce que fait maman à cette heure-ci. Est-ce qu'elle me cherche ? Elle a peut-être alerté la police ? »

C'est alors qu'elle ressentit la faim. « C'est bien vrai, je n'ai rien mangé depuis hier midi. Je n'ai pas une minute à perdre », se dit-elle. Léonie se leva d'un bond.

Mission numéro cinq : mettre la main sur de la nourriture.

En s'éloignant de son refuge, elle prit soin de laisser tomber des cailloux sur le sol, afin de retrouver son chemin.

Les cinquante-huit gars, accompagnés de leurs enseignants, avaient patrouillé plusieurs kilomètres dans la forêt. À quelques reprises, ils avaient croisé des secouristes et des bénévoles, eux aussi à la recherche de la demoiselle. Tout en marchant, le groupe criait des :

— Léonie, où es-tu ?

Et des :

— Léonie, on est là ! Réponds-nous !

Tous ouvraient grand les yeux et les oreilles, à l'affût d'un indice. Au moindre signe de découragement de l'un, l'autre renchérissait :

— Nous la trouverons, notre Léonie !

— Un peu de courage, les gars, montrons-lui ce que l'École a fait de nous, des garçons courageux et surtout, PER-SÉ-VÉ-RANTS.

— Ouais, rien n'est trop difficile pour nous.

Guillaume marchait aux côtés de Lucie Cousineau. Cette dernière ne cessait de parler de sa fille :

— Léonie est quelqu'un de très sensible, tu sais...

— Je le sais, madame.

— Elle a eu tant de peine au décès de son frère, tu sais...

— Oui, je me doute bien, répondit Guillaume, attristé.

— Tous ces vilains coups dans son ancienne école, ça ne fait pas d'elle une mauvaise personne, tu sais.

La charmante dame terminait presque toutes ses phrases par un « tu sais », ce qui amusait Guillaume. Il se plaisait à l'entendre raconter les frasques de Léonie.

— Vraiment ? Elle en avait mis sur toutes les poignées ?

— Oui, Guillaume, elle n'en avait pas oublié une seule. Même celle de la conciergerie, au sous-sol.

— Ah ! J'imagine la tête du concierge !

— Sans compter l'obstruction d'un silencieux, ajouta Lucie, c'était le pire coup celui-là.

Le garçon ne put s'empêcher d'éclater de rire.

— J'adore jouer des tours moi aussi, confia-t-il.

— Je n'en doute pas, tu as la frimousse de l'emploi, dit gentiment Lucie en faisant une pincette sur la joue rose du garçon.

Discrètement, Guillaume glissa sa main dans celle de Lucie.

— Vous savez, je l'aime beaucoup Léonie.

— Je sais, mon beau Guillaume.

— Et, le plus bizarre, c'est que…

— Que…

— Eh bien, c'est que je l'aimais bien, même lorsqu'elle était en… en… garçon. Pourtant, je ne suis pas vraiment le genre à m'amouracher des gars, dit-il timidement.

— Tu sais ce que ça veut dire, alors ?

Guillaume secoua la tête pour dire non.

— À mon avis, cela signifie que tu la regardes avec les yeux du cœur. C'est une très belle forme d'amitié, ne trouves-tu pas ?

Guillaume ne répondit rien, mais ses yeux brillants et son sourire ému signifiaient que Lucie avait vu juste.

Tous deux poursuivirent ainsi leur chemin en débroussaillant de l'autre main la voie qui devait mener à l'enfant perdue.

CHAPITRE 11

À la belle étoile

À 17 h 30, Firmin Dussault décidait de s'arrêter. Il venait de repérer un endroit parfait pour y installer sa troupe.

— C'est assez pour aujourd'hui. Nous devons reprendre des forces.

Étalant la carte géographique sur le sol, il pointa du doigt leur localisation.

— Wow, dit Gus, impressionné, nous avons marché tout ça ?

— Oui, mon garçon !

Le directeur enchaîna :

— Messieurs, permettez-moi de vous dire que je suis immensément fier de vous. Vous avez parcouru la forêt toute la journée comme des braves, sans rechigner, sans vous plaindre. Bravo ! Demain, dès que le soleil sera levé, nous repartirons à la recherche de Léonie. Nous devons maintenant organiser notre nuit de façon intelligente afin de récupérer le maximum de notre énergie. Il y a un feu à allumer, des tentes à dresser, un repas pour soixante-cinq personnes à préparer… Alors, qui fera quoi ?

— Je m'occupe du feu, lança Alexi, avant de laisser qui que ce soit le devancer.

— Je monte les tentes avec Rémi, renchérit aussitôt Guillaume.

— Et moi, j'installerai tous les sacs de couchage dans les tentes, fit Justin.

— Je prépare la table… bon, il n'y a pas de table, mais… je ferai ce qu'il faut pour nous donner l'impression d'un repas autour d'une table, dit Gus.

Les garçons sourirent. Gus Lemay se grattait vigoureusement la tête en réfléchissant.

— Hey, tu fais comme moi, lança Guillaume, amusé, en se frictionnant lui aussi une couette.

— Poursuivons, dit Firmin Dussault plus sérieusement. Nous n'avons pas terminé la distribution des tâches.

— Nous, nous ferons la vaisselle, dirent à l'unisson monsieur Chang et monsieur Sylvain.

— Et le repas, lui ? demanda le directeur, un peu déçu que personne ne se propose pour le préparer.

— Je m'en charge, dit Lucie. J'aime bien cuisiner et ça me changera les idées.

Tous les garçons ainsi que les enseignants poussèrent un soupir de soulagement.

— Ça nous fera plaisir de vous aider, madame Lucie, proposa Peppy en regardant Nataniel et Lucas droit dans les yeux.

— Et nous, on remplira les assiettes, conclurent B. B. et Denis.

— Alors, c'est parti. Au travail tout le monde, car, à 20 h 00, tout le monde au lit, déclara le directeur.

— Ah non, pas si tôt quand même !

Bien que déçus de l'heure hâtive du coucher, les aventuriers se mirent quand même au travail. En trente-cinq minutes, les tentes étaient installées. Le feu crépitait déjà, les effluves du repas donnaient l'eau à la bouche aux garçons affamés.

À 19 h 00, tout le monde avait mangé, la vaisselle était lavée, essuyée et rangée. Quelques minutes plus tôt, monsieur Chang et monsieur Sylvain avaient eu bien du mal à la récurer. Visiblement, Lucie n'avait pas l'habitude de cuisiner sur un feu de bois. Un peu gênée de la croûte de pâtes calcinées laissée au fond des chaudrons, elle avait tenté de se justifier :

— C'est la première fois que je fais cuire des spaghettis en forêt...

— Heureusement ! dit monsieur Chang, sans malice.

— Votre repas était excellent, madame Lucie. Et des pâtes collées, c'est plus goûteux, conclut monsieur Sylvain.

Les sacs étaient déjà prêts pour le lendemain. Firmin Dussault suggéra à ses enseignants de partir à la recherche de longs bouts de bois.

— On fera griller quelques guimauves. Nos gars le méritent bien.

— Bonne idée, dirent les hommes en s'éclipsant.

Pendant ce temps, le directeur demanda aux garçons de revêtir leur vêtement de nuit. Panique totale dans le campement !

Gus, en fouillant dans son sac déjà en bataille, fut le premier à mettre la main sur LE vêtement qui devait faire office de pyjama.

— Mais c'est quoi ce truc affreux !? dit-il en l'exposant aux autres.

Les garçons pouffèrent de rire en imaginant Gus vêtu de cette robe de nuit blanche à col de dentelle. Un vêtement de fille !

Insulté, le garçon lança à bout de bras le morceau de tissu.

— Il n'est pas question que je me ridiculise avec ça ! grogna-t-il.

Au même instant, tous les anciens élèves ainsi que les nouveaux sortirent l'un après l'autre de leur sac un vêtement identique à celui-là. Une furieuse indignation se lisait sur le visage de chacun !

— C'est Foinfoin, c'est lui qui a préparé nos bagages !

— Qu'est-ce qui lui a passé par la tête de nous mettre un truc pareil ?

— Il nous prend pour des filles ou quoi ?

Aucun des garçons n'osait enfiler cette robe de nuit ridicule.

Guillaume, de son côté, réfléchissait à la situation. Avec un petit sourire, il prit la parole :

— Voyons les gars, ce n'est pas si dramatique ! Foinfoin a fait son possible pour nous trouver un pyjama. Et le résultat est plutôt comique ! On devrait plutôt le remercier.

— C'est encore mieux que de se retrouver en costume d'Adam et de prendre froid, renchérit Firmin Dussault.

C'est ainsi que Guillaume et le directeur de l'École réussirent à convaincre les gars de se métamorphoser. Se dévoilant lentement de l'arrière d'un arbre, d'une tente ou d'un buisson, les cinquante-huit jeunes se regroupèrent autour du feu, les joues rosies par la gêne. Messieurs Zolan, Sylvain, Bernard-Aristide, Chang, Brandon étaient revenus avec quelques branchages. Évidemment, ils durent réprimer un sourire devant cette scène plutôt cocasse pour ne pas titiller davantage l'orgueil de leurs élèves ou attiser le feu de la colère.

Les guimauves dorées, grillées ou carrément calcinées, firent bientôt oublier aux garçons leur allure féminine et détendre l'atmosphère.

En cette fin de journée, malgré la fatigue et l'inquiétude qui les rongeait, les jeunes campeurs, accompagnés de leurs enseignants, fredonnèrent quelques mélodies en l'honneur de Léonie.

— Je sens qu'elle n'est pas loin, affirma Guillaume avant d'aller se coucher.

Portés par cette vague de pressentiment positif, les garçons épuisés ainsi que leurs enseignants lui emboîtèrent le pas. En moins de vingt minutes, le silence régnait dans le campement. Un silence parfois entrecoupé des chuchotements de Firmin Dussault et de Lucie Cousineau, qui se retrouvaient seuls près du feu. Trop inquiète pour s'endormir tout de suite, la jeune femme se confia au directeur de l'*École des Gars* :

— Son père nous a quittés alors que Léonie n'avait que quatre ans. Il n'a jamais donné signe de vie. Voilà pourquoi son grand frère était si important à ses yeux. Il l'avait prise sous son aile.

— Je comprends.

— Je suis si inquiète. Elle doit avoir faim… A-t-elle réussi à trouver de l'eau ? La nuit est fraîche, son petit corps doit trembler de froid sous ses vêtements humides. Seule en forêt, dans le noir, elle doit mourir de peur, la pauvre.

— Léonie est une fille débrouillarde. Elle doit tenir le coup, assura monsieur Firmin. Elle a sûrement réussi à allumer un feu !

L'oreille attentive du directeur et ses paroles rassurantes redonnèrent un brin de confiance à Lucie.

En effet, Léonie tenait le coup, comme l'affirmait Firmin Dussault. Et elle avait réussi à allumer un feu.

Guidée encore une fois par le souvenir des enseignements de son frère, la jeune fille s'était servie d'un fond de bouteille qu'elle avait trouvé sur le sol quelques heures auparavant. Un tour d'horloge plus tard, elle réussit à faire apparaître une minuscule flamme sur les brindilles séchées placées au centre d'un tas de pierres.

Cependant, son estomac gargouillait, car, de toute la journée, elle n'avait trouvé que quelques baies sauvages pour se nourrir. Sa mission numéro cinq n'avait pas été un succès...

Affamée et découragée à l'idée de passer une deuxième nuit en forêt, Léonie se promettait de rebrousser chemin dès le lendemain matin. Malgré l'intense chaleur dégagée par la braise, elle frissonna. Avant de s'endormir sur son lit de mousse, de feuilles et de lichens, elle eut une dernière pensée pour sa mère. Et pour Guillaume, qui lui manquait de plus en plus.

Resté seul à l'*École des Gars,* et bien cloîtré dans la grotte, Foinfoin avait réalisé des expériences toute la journée. Sans se lasser, il mélangeait les poudres et les liquides à l'aide d'une cuillère en bois tout en récitant à voix haute :

— AZ8 + Bleu ciel 876 X 138 hydro-biz #2268.

Aucun résultat.

— Je partirai seulement lorsque j'aurai trouvé... ZN22 + Vert lime 174 X 22 picto-chnu #344.

Aucun résultat.

— Léonie est astucieuse…

AW45 + violet 199 X jul-bri #1679.

Pas plus de miracle à l'horizon.

— Elle peut encore se débrouiller sans moi… KK@ + Z2884 X Rouge vif #898.

Foinfoin s'assit sur un tabouret, attendant le résultat de ce dernier essai.

Rien. Rien du tout ne se produisit. Peu doué pour le découragement, Foinfoin bondit sur ses courtes jambes. Ce faisant, sa tête en forme d'œuf heurta la tablette sur laquelle il avait posé les fioles contenant ses potions. Les récipients dégringolèrent sur le sol, laissant déverser liquides et gaz sur le plancher de la grotte. Un froid hivernal envahit le minuscule bureau de Foinfoin. Une légère couche de glace se formait miraculeusement sur le sol, laissant s'échapper une fumée bleutée !!!

— Mais oui ! dit le nain de sa voix nasillarde. Pourquoi n'y ai-je pas pensé plus tôt ?

Foinfoin avait enfin compris que seul le mélange de toutes ses potions pouvait assurer la réussite de son projet.

Il prit sa courtepointe rouge et y déposa en un temps record une dizaine de flacons après les avoir soigneusement emballés dans du papier bulle. Il ne fallait surtout pas que les bouteilles se fracassent les unes contre les autres lors de son excursion ! Ensuite, le nain ajouta un sifflet, un briquet, un iPod, un mini haut-parleur, et bien sûr, les patins blancs. En un tour de main, il noua les quatre coins de sa courtepointe ensemble, et il glissa son bâton de marche dans le nœud, fabriquant ainsi le plus incroyable des baluchons.

— Et maintenant, direction Lac Héron, fit le nain en se drapant dans une cape en laine grise.

Lorsqu'il passa devant les photos des cinquante-neuf étudiants, dans le hall d'entrée de l'école, Foinfoin ajouta :

— J'arrive, ma belle Léonie. Tiens bon ! Tu ne seras pas déçue.

Foinfoin traversa la cour d'école à toutes jambes. Un immense ballon le fit trébucher. Ensuite, ce fut à cause d'une raquette de tennis laissée par terre qu'il fit un vilain plongeon. Trois pas à peine après avoir repris sa marche, c'était au tour d'un cerceau de ralentir son rythme. Écrasé sous le poids de son baluchon, Foinfoin eut bien du mal à se relever.

— Quelle stupide invention que le cerceau! maugréa-t-il.

Le nain finit par atteindre la maisonnette en pierres d'où il sortit sa petite bicyclette. Pédalant à une vitesse surprenante pour sa courte taille, le curieux personnage parcourut (en un temps record) les quelques kilomètres qui le séparaient du Lac Héron.

Foinfoin repéra au loin un kayak une place. Il s'en approcha rapidement. Avant d'y embarquer, il tournoya la tête de tous les côtés afin de s'assurer qu'il était bien seul. Puis, il se mit à pagayer à vive allure.

— Ça y est, murmura-t-il en débarquant à l'orée de la forêt.

— Hou-hou, lui répondit une chouette en s'envolant.

Au bout de quarante-cinq minutes de marche, Foinfoin se trouvait exactement là où il devait être. Aux côtés de sa protégée, qui ronflait tout doucement. D'un geste délicat, il posa son baluchon sur le sol, enleva sa cape en laine et en recouvrit la jeune endormie.

CHAPITRE 12

Un miracle sur l'étang

Cette deuxième nuit avait été froide à pierre fendre. À 6 h 25, la troupe de l'*École des Gars* avait déjà le ventre rempli de céréales et de jus d'orange. Le coup de sifflet sonnant le coup d'envoi de la deuxième journée de fouille se fit entendre à 6 h 30 tapant.

En chemin, les gars répétaient à tour de rôle les consignes :

- Être toujours attentifs aux moindres indices (odeurs, traces, objets, etc.).
- Faire part des découvertes, même si elles semblent banales et anodines.
- Lancer des appels fréquents et réguliers.

- Se concentrer sur le but à atteindre.
- Partager ses états d'âme.
- Surtout, garder ESPOIR !

Malgré la froideur de la nuit, Léonie avait bien dormi. Son sommeil avait été animé de rêves réconfortants. Dans l'un d'eux, un drôle de personnage couvert d'une cape était venu la rassurer.

En se redressant dans son abri, la jeune fille porta ses mains à son visage.

— Ça alors, elles sont toutes chaudes ! Après une nuit glaciale, ça ne se peut pas. À moins qu'un loup, un coyote ou un ours soit venu me tenir au chaud, se dit-elle tout haut avec amusement.

Léonie se sentait en forme pour entreprendre sa sixième et dernière mission : retrouver sa mère et son ami Guillaume.

Se fiant à ce qu'elle appelait son instinct d'Amérindienne, Léonie entreprit de retrouver le lac Héron. D'après ses connaissances, elle se doutait que le ruisseau qui lui avait servi de fontaine finirait par s'y jeter.

« Il est si facile de se perdre en forêt, disait souvent Alexandre. Suivre un cours d'eau est un bon moyen de se retrouver ».

Pressée d'atteindre la rive du lac, elle se mit à courir à petites foulées.

En chemin, elle réfléchissait tout haut :

— … maman doit être si inquiète…

Près d'un kilomètre plus loin :

— … et le directeur de l'école, il doit se sentir responsable de ma fuite…

Une demi-heure plus tard :

— … Guillaume ne méritait pas cette colère… Je lui dois des excuses, je leur dois tous des excuses…

À bout de souffle, Léonie s'accorda une pause. Le croassement de grenouilles lui indiquait la présence non pas du lac tant espéré mais… d'un étang ?!

La jeune fille avança de quelques pas à travers chênes, érables et bouleaux. Effectivement, devant elle se trouvait un tout petit plan d'eau. Un drôle de bruit la fit tressaillir. Cette fois, elle aurait mis sa main à couper qu'il s'agissait d'un animal bien plus gros qu'un écureuil ou un suisse.

À quelques kilomètres de la demoiselle, le groupe cheminait vers le cœur de la forêt. Le temps passait, les mètres parcourus s'additionnaient, et ce, toujours sans indice de la jeune disparue. Pas de foulard laissé dans un buisson. Aucune espadrille sur le chemin boisé. Zéro inukshuk (empilement de pierres adoptant une forme humaine) dressé sur une pierre ou à la base d'un grand chêne.

Malgré la ténacité dont les jeunes garçons faisaient preuve, la plupart commençaient à montrer (bien malgré eux) quelques signes de fatigue. Les pieds endoloris, certains s'arrêtaient parfois pour faire quelques rotations de cheville en grimaçant discrètement. D'autres aéraient leurs orteils après avoir écarquillé les yeux devant ces ampoules prêtes à exploser. Les élèves de 5e année (moins entraînés que les élèves de 6e) se massaient les mollets en cachette.

— Nous ne pourrons pas continuer comme ça bien longtemps. Les gars sont épuisés, chuchota monsieur Firmin à ses enseignants.

— Je sais, répondit monsieur Sylvain. Même s'il ne s'en plaint pas, la hanche de Guillaume le fait souffrir et le pied de Justin est en sang.

— Je sais. J'ai remarqué tout ça, conclut le directeur, la mine sombre.

Même s'il ne le disait pas, il commençait à désespérer de retrouver Léonie.

Les sens aux aguets, Léonie essayait de repérer la créature qui avait fait du bruit, quelques secondes plus tôt. Soudainement, un pygargue à tête blanche prit son envol. « C'est lui que j'ai dû entendre », se dit-elle en contemplant l'oiseau qui planait dans le ciel.

Foinfoin profita de cet instant pour sortir du buisson qui le masquait et verser dans l'étang le contenu de ses flacons.

AZ8 + Bleu ciel 876 X 138 hydro-biz #2268

ZN22 + Vert lime 174 X 22 picto-chnu #344

AW45 + violet 199 X jul - bri #1679
KK@ + Z2884 X Rouge vif #898

Ou en d'autres termes :

- 83 cl d'huile d'amande très, très douce ;
- 68 gouttes de potion magique au citron ;
- 8 gouttes de « zimbille » aux allures de respect moelleux ;
- 15 gouttes et demie de « froidillure glacée » ;
- 1 litre et 8 gouttes de « joie pure aux pommes » ;
- 3 ml d'« espoirus à la fraise ».

De retour derrière son buisson, Foinfoin attendit le résultat, les mains jointes sur sa poitrine. « Allez, agissez produits magiques ! », répétait-il mentalement. Très concentré sur ses pensées, il ferma les paupières.

Au premier CRAC, ses lèvres pulpeuses s'étirèrent en un sourire satisfait. Ce qui aurait pu passer pour un craquement de branche était le signal de la réussite de son projet.

— Hourra ! Ça fonctionne, murmura-t-il.

Sous ses yeux écarquillés et sous les yeux encore plus écarquillés de Léonie, un phénomène étrange se produisit. L'eau de l'étang se figeait, centimètre par centimètre, du centre aux extrémités. En même temps, une fumerolle bleutée quittait l'étang pour se diriger vers le ciel.

— Oui, c'est ça. Monte, monte, monte…, chuchotait le brin d'homme.

Au moment où il sortit de derrière son buisson pour tester la solidité de la glace avec son bâton de marche, Léonie crut mourir de bonheur.

— Foinfoin, Foinfoin ! hurla-t-elle.

Le nain se retourna vers elle en tendant le pouce en l'air, mais au lieu de la rejoindre, il se rendit au centre de sa glace miraculeuse, en glissant maladroitement sur ses chaussures vernies. Il y déposa quelques gouttes de VENEZTOUS aux couleurs arc-en-ciel, ce qui eut pour effet de transformer la légère fumée bleutée en un nuage épais aux mille et une couleurs.

Puis, le nain, trop heureux du résultat de ses nombreuses expériences de chimie, exécuta sur la glace quelques pas de danse. Cela eut pour effet de métamorphoser les nuages de couleurs en une multitude de formes qui s'envolaient vers le firmament.

La jeune fille, émerveillée par ce spectacle magique, courut vers Foinfoin, qui criait maintenant à tue-tête :

— C'est pour toi, ma belle Léonie, cette glace est pour toi !

Littéralement propulsée au 7e ciel, Léonie enlaça Foinfoin.

— Pour moi ? Tu es génial, Foinfoin, trop génial !

— Je sais, dit le petit homme en rougissant.

Dans le ciel, une étoile rose bonbon, un éléphant bleu et un tyrannosaure jaune et vert exhibaient à leur tour quelques pas de danse aux côtés des nuages.

Guillaume, le premier, aperçut ces formes bizarres et colorées au-dessus des arbres. Sur le coup, il crut qu'il s'agissait d'une hallucination. Il se frotta vigoureusement non pas les cheveux, mais plutôt les yeux.

— Regardez ! Regardez ! cria-t-il. Wow !!!

Tous suivirent des yeux son index qui pointait les figures multicolores.

— C'est un signe de Foinfoin, hurla Guillaume. Il l'a retrouvée ! Foinfoin a retrouvé Léonie !

Les garçons, suivis des enseignants, s'élancèrent à sa suite. À la fois incrédule et folle de joie, Lucie était comme paralysée. Une main forte l'agrippa, ce qui ne lui donnait plus le choix de courir elle aussi à toute vitesse.

Aucunes ampoules au pied, aucunes crampes au mollet ou entorses à la cheville n'auraient ralenti le rythme de la troupe de l'*École des Gars*.

Sur l'étang gelé, Foinfoin fouillait dans son baluchon. Il sortit enfin les patins blancs de Léonie et les tendit à la jeune fille.

— Je sais que rien ni personne ne remplacera jamais ton frère, mais grâce à ma recette, tu pourras patiner été comme hiver. Pour lui…

— Oui, pour Alexandre, murmura Léonie, un merveilleux sourire éclairant son visage.

— Chausse-les maintenant, avant que je me mette à pleurer d'émotion et que mes larmes figent en glace, dit encore Foinfoin.

Léonie s'empressa de lui obéir, puis elle s'élança sur la glace telle une fée légère et gracieuse alors que s'élevait sa chanson préférée :

Don't cry little girl, everything's going to be all right…

Foinfoin, qui avait regagné la rive, savoura ce moment de plénitude où la glace, la musique, la lumière et la jeune fille ne semblaient faire qu'un.

C'est à ce moment que les sauveteurs de l'*École des Gars* apparurent aux abords de l'étang. Spontanément, ils formèrent un cercle tout autour de la glace. L'inquiétude et la fatigue disparurent des soixante-cinq visages pour se remplir de joie et d'admiration. Ils étaient abasourdis par la beauté, le talent, et la grâce de la patineuse.

Léonie, emportée par la musique et la passion, n'avait rien remarqué de la présence des garçons. Les trois dernières notes de la chanson la tirèrent finalement de son état d'hypnose. Elle s'arrêta brusquement. C'est alors qu'elle vit sa…

— Maman !

— Léonie !

Les retrouvailles de Lucie et de Léonie attendrirent tous les gars, sans parler des six hommes qui les accompagnaient ! Même Gus pleurait d'émotion. Les reniflements des plus petits comme des moins jeunes finirent par susciter un rire timide.

— Hey, les gars, dit Guillaume, la gorge enrouée. Ne me dites pas qu'on est tous en train de brailler là ! Il me semble qu'on est plus *tough* que ça d'habitude !

Toute la troupe se mit à rire de bon cœur.

— On l'a retrouvée, notre Léonie, hurla alors Rémi à pleins poumons.

— Ouais, criait l'un.

— Hourra ! criait l'autre.

Tous les garçons se précipitèrent sur la jeune fille qui fut rapidement renversée par tout ce surpoids d'amour.

— Aie, les gars, vous m'étouffez ! Je ne peux plus respirer !

— Ça t'apprendra, dit Guillaume. Tu nous as fait une de ces trouilles, ajouta-t-il en la chatouillant amicalement.

— Oui, même moi j'étais mort de peur à l'idée de ne pas te retrouver, fit Gus en rougissant.

Un petit bonhomme sortant de nulle part s'écria :

— Que diriez-vous de patiner ?

— Foinfoin, tu es là ! crièrent en chœur les garçons.

Les gars s'exclamèrent de joie en découvrant les patins que Foinfoin avait apportés dans son baluchon. En moins de deux, ils se précipitèrent sur la glace. Gus fut le premier à se retrouver sur les fesses.

— Tu aurais besoin d'une petite leçon privée, dit Léonie en lui faisant un clin d'œil.

— Ça marche ! lui répondit Gus, en souriant.

Léonie s'élança sur la glace gracieusement, suivie des gars qui tentaient de l'imiter maladroitement.

Les enseignants les encourageaient, tout en riant à gorge déployée. Jouer au hockey convenait bien à leurs gars, mais le patinage de fantaisie, c'était autre chose! Un peu à l'écart de ce remue-ménage, Lucie remerciait Firmin Dussault pour son dévouement.

— Ce n'est rien, dit-il. J'ai toujours eu confiance que votre fille allait se sortir de cette situation. Elle sort grandie de cette expérience, d'ailleurs, tous nos élèves en sortent grandis.

Intimidé par le regard brillant de Lucie, Firmin Dussault se mit à énumérer les objectifs de l'*École des Gars,* mais Lucie, elle, n'avait qu'une envie. Déposer un tendre baiser sur la joue déjà empourprée du directeur de l'*École des Gars.*

Fatiguée de tous ces coups de patin, Léonie rejoint Guillaume, qui venait de s'asseoir sur le bord de l'étang.

Longuement, ils contemplèrent les garçons qui s'amusaient sur la glace. Alors que l'un tombait vers l'arrière, l'autre piquait du nez. Alexi exécutait de drôles de pirouettes. Justin tentait des arabesques. Patrick et Samuel osèrent une danse en duo. Au grand étonnement de tous, ils réussirent à coordonner et à synchroniser leur pas de danse. Jean-Philippe, Augustin, Juan, Thomas, Julien, Miguel, Cédric, Tuang, Jean-Baptiste, Lucas et tous les autres organisaient des courses à relais.

— Je suis désolée Guillaume, dit la jeune fille. Je ne voulais…

— Chut…

Et Guillaume glissa sa main dans le creux de celle de Léonie.

Là-haut, dans le ciel, un cœur d'un merveilleux violet prenait forme entre les nuages.

Solution de l'énigme de la page 75

Énigme 1: Le loup, la chèvre et le chou

Hum… D'abord, le fermier a fait traverser la chèvre de l'autre côté de la rivière puis il est revenu seul.

Ensuite, il a fait traverser le loup et il a ramené la chèvre sur la première rive (pour ne pas qu'elle se fasse manger par le loup en son absence).

Puis, il a transporté le chou sur la seconde rive et l'a laissé avec le loup (contrairement à la chèvre, le loup n'aime pas les choux!).

Finalement, il est revenu chercher la chèvre qui l'attendait bien patiemment. Ainsi, chacun s'est retrouvé de l'autre côté de la rivière, en un seul morceau! Voilà!

Maryse Peyskens

Maryse Peyskens a longtemps travaillé auprès d'enfants handicapés et de personnes âgées. Sexologue de formation, elle a animé de nombreux ateliers et conférences dans différents milieux (organismes communautaires, écoles, centres de détention, etc.). Ces dernières années, elle a ralenti la cadence pour se consacrer davantage à ses trois enfants. Elle en a profité pour se mettre à l'écriture, non seulement par pur plaisir, mais aussi pour exprimer de façon fantaisiste quelques-unes de ses observations et de ses pensées.

L'École des Gars, son premier roman, est né d'une réflexion portant sur la condition des jeunes garçons dans notre système scolaire actuel. Cette histoire se veut une réponse amusante et originale aux frustrations et aux difficultés vécues par certains élèves et leurs parents.

Maryse Peyskens s'est bien amusée en imaginant les aventures de cinquante-huit gars (plus une fille !) affectueusement surnommés « les petits tannants bourrés de talents », supervisés par une équipe d'enseignants passionnés. Tout comme ses jeunes héros, l'auteure a un petit faible pour Foinfoin... Il faut dire que ce drôle de personnage fait en quelque sorte partie de sa famille. Créé au début des années 60 par le père de Maryse, Foinfoin était un héros de bande dessinée, qui avait à l'époque remporté un vif succès au Salon du livre de Montréal.

Décidément, il a un charme fou ce Foinfoin !

Visite notre site Internet pour en savoir plus
sur nos auteurs, nos illustrateurs et nos collections :
dominiqueetcompagnie.com

Dans la collection Grand roman Dominique et compagnie

Série L'or des gitans

La prophétie d'Ophélia – Tome 1
Le destin de Ballanika – Tome 2
La quête de Lily – Tome 3
La vengeance de Nostromus – Tome 4
Le secret de Lumina – Tome 5
Le courage de Tanaga – Tome 6
Elaine Arsenault

Série Le journal d'Alice

Le journal d'Alice – Tome 1
Le journal d'Alice – Lola Falbala
Le journal d'Alice – Confidences sous l'érable
Le journal d'Alice – Le Big Bang
Le journal d'Alice – La saison du Citrobulles
Sylvie Louis

Série L'Affaire Amanda

L'Affaire Amanda – Invisible – Tome 1
Stella Lennon
L'Affaire Amanda – Le signal – Tome 2
Melissa Kantor

Série Flibustiers du Nouveau Monde

Le trésor de l'esclave – Tome 1
Le Diable à bord – Tome 2
Le temple aux cent mille morts – Tome 3
Camille Bouchard

Série Nicolas Méric
Furie à la Baie-James suivi de *Fusillade au Texas*
Pirates en Somalie suivi de *Catastrophe en Guadeloupe*
Piège au Mexique suivi de *Angoisse en Louisiane*
Camille Bouchard

Série Le secret des dragons
Tome 1
Dominique Demers

Série L'École des Gars
L'École des Gars
Une fille à l'École des Gars
Maryse Peyskens

Le rôdeur du lac
Camille Bouchard

Effroyable Mémère à la plage
Agnès Grimaud

La classe de madame Caroline
Collectif de 11 auteurs

Nuit noire
Carole Tremblay

Cathie et le fantôme orphelin
Irene N. Watts

Catalogage avant publication de Bibliothèque
et Archives nationales du Québec et Bibliothèque et Archives Canada

Peyskens, Maryse
Une fille à l'école des gars
(Grand roman Dominique et compagnie)

Pour les jeunes de 9 ans et plus.

ISBN 978-2-89686-597-0

I. Titre.

PS8631.E97F54 2013 jC843'.6 C2013-942561-3
PS9631.E97F54 2013

Dépôts légaux : 1er trimestre 2013
Bibliothèque et Archives nationales du Québec
Bibliothèque et Archives Canada
Bibliothèque nationale de France

Imprimé au Canada

Direction littéraire et artistique : Agnès Huguet
Conception graphique : Nancy Jacques
Conception graphique de la couverture : Dominique Simard
Révision et correction : Danielle Patenaude

Dominique et compagnie
300, rue Arran, Saint-Lambert
(Québec) J4R 1K5 Canada
Téléphone : 514 875-0327
Télécopieur : 450 672-5448
Courriel : dominiqueetcie@editionsheritage.com
Site Internet : www.dominiqueetcompagnie.com

Nous reconnaissons l'aide financière du gouvernement du Canada par l'entremise du Fonds du livre du Canada et par le Conseil des Arts du Canada.

Nous reconnaissons l'aide financière du gouvernement du Canada par l'entremise du Programme national de traduction pour l'édition du livre pour nos activités de traduction.

Nous reconnaissons l'aide financière du gouvernement du Québec par l'entremise du programme de crédit d'impôt – SODEC – Programme d'aide à l'édition de livres.

Achevé d'imprimer en février 2013
sur les presses de Payette & Simms
à Saint-Lambert (Québec)